Berlitz

Deutsch

Berlitz Languages, Inc.
Princeton, NJ
USA

For use exclusively in connection with Berlitz classroom instruction.

Berlitz Languages, Inc.
400 Alexander Park
Princeton, NJ
USA

INHALTSVERZEICHNIS

Kapitel 4

Kapitel 5

Kapitel 6

Kapitel 7

Kapitel 8

Kapitel 9

Kapitel 10

Kapitel 11

Kapitel 12

VORWORT

Der vorliegende Band ist für Schüler der Sprachstufen 3 – 4 gedacht und ist nur in Verbindung mit dem Unterricht an einer Berlitz-Schule zu benutzen.

Das Unterrichtsprogramm besteht aus einem Arbeitsbuch, einem Lehrerhandbuch und einem Audioprogramm.

Der Kurs ist in 12 Kapitel unterteilt. Die Kapitel beinhalten Dialoge, Texte und Übungen, die Grammatik, Wortschatz, Satzstellung und den Gebrauch von Redewendungen beim Schüler festigen und erweitern sollen.

Der Schüler sollte bereits gute Grundkenntnisse in der Sprache mitbringen. Hauptziel des Unterrichts soll sein, diese Kenntnisse auszubauen und zu vertiefen. Nach Abschluß dieses Kurses wird der Schüler die erforderlichen Fertigkeiten besitzen, mit dem Programm der nächsthöheren Sprachstufen zu beginnen.

Wir freuen uns, diesen Kurs dem Angebot des von Berlitz verwendeten Lehrmaterials hinzufügen zu können.

KAPITEL

1

URLAUB IN ÖSTERREICH

Dieses Jahr machen Klaus und Ulrike Huber Urlaub in Österreich. Sie wollen schon lange ein paar Wochen in den Bergen verbringen. Am Freitag abend kommen sie im Hotel Mozart in Salzburg an. Sie stellen ihren Wagen[1] auf den Parkplatz und gehen zur Rezeption.

Rezeption: Grüß Gott![2] Kann ich Ihnen helfen?

Klaus: Guten Abend! Mein Name ist Huber. Meine Frau und ich haben ein Zimmer reserviert.

Rezeption: Moment, ich schaue[3] mal ... Ja, richtig: ein Doppelzimmer mit Bad und Vollpension. Hier ist Ihr Schlüssel. Möchten Sie, daß Ihnen jemand die Koffer aufs Zimmer bringt?

Ulrike: Das ist nett. Wir haben eine lange Reise hinter uns.

Rezeption: Natürlich. Noch etwas: Frühstück servieren wir von 7 bis 10 Uhr.

---

[1] *Wagen = Auto*
[2] *Grüß Gott! = Guten Tag / Abend! (in Österreich u. Süddeutschland)*
[3] *schauen = sehen (in Österreich u. Süddeutschland)*

Am nächsten Morgen sprechen Hubers nach dem Frühstück noch einmal mit der Frau an der Rezeption.

Ulrike: Wir möchten gern die Stadt sehen. Haben Sie vielleicht eine Broschüre mit Informationen?

Rezeption: Hier, bitte. Ich werde Ihnen auch noch einen Stadtplan geben. Sagen Sie, waren Sie schon einmal in Österreich?

Klaus: Nein, noch nicht. Wir fahren immer ans Meer, nach Spanien oder Italien. Aber dieses Jahr wollen wir unseren Urlaub in den Bergen verbringen. Nächste Woche geht es nach St. Anton am Arlberg.

Rezeption: Ah, es ist sehr schön dort. Werden Sie lange bleiben?

Klaus: Zwei Wochen. Wir werden von dort ein paar Ausflüge ins Ötztal und in die Dolomiten machen.

ÜBUNG 1

1. Was tun Hubers, bevor sie zur Rezeption gehen?

2. Was für ein Zimmer haben sie reserviert?

3. Was wollen sie am Samstag machen?

4. Wonach fragt Ulrike an der Rezeption?

5. Wo machen Hubers normalerweise Urlaub?

6. Wohin werden Hubers noch fahren?

Dieses Jahr fahren wir in die Berge.
→ Nächstes Jahr **werden** wir ans Meer **fahren**.

Ich **werde** Ihnen etwas aus Spanien **mitbringen**.
Werden Sie morgen nach Kopenhagen **reisen**?
Ulla **wird** meine Telefonrechnung nicht **bezahlen**.

---

ich	**werde**	gehen
Sie	**werden**	sehen
er / sie / es	**wird**	verbringen
wir	**werden**	ankommen
sie	**werden**	zurückfliegen *usw.*

ÜBUNG 2 — *Setzen Sie die Sätze ins Futur!*

Beispiel: Herr Seibold hat viele Geschäftsreisen gemacht.
 Er wird viele Geschäftsreisen machen.

1. Ich gehe in einer Stunde ins Büro.

2. Haben Sie ein Taxi zum Flughafen genommen?

3. Wir kommen nicht um 15 Uhr in Stockholm an.

4. Ist Rainer am Montag in die Firma gegangen?

5. Morgen fliegt keine Maschine von Frankfurt nach Hongkong.

6. Sind Genschers mit Ihnen nach Frankreich gereist?

7. Jochen fährt nächste Woche nicht mit aufs Land.

8. Frau Sommer reserviert im voraus ein Zimmer in Wien.

WIR WERDEN IN DIE SCHWEIZ FAHREN

Im August **fahren** wir in die Schweiz. Wir wollen dort schon lange einmal Urlaub machen. Diesmal **reisen** wir mit unserem Auto, weil wir bei Freunden, die in St. Gallen, in der Nähe des Bodensees wohnen, **vorbeifahren**. Wir **verbringen** ein paar Tage mit ihnen und wollen dann nach Weggis am Vierwaldstätter See fahren. In Weggis **bleiben** wir ungefähr eine Woche. Wir **machen** auch einen Ausflug nach Luzern. Dort **besuchen** wir die schönen Brücken und Luzerns Altstadt, die 800 Jahre alt ist. Bevor es nach Hause geht, **fahren** wir noch in der Bahnhofstraße in Zürich **vorbei** und **kaufen** ein paar Souvenirs, die wir unseren Kindern **mitbringen**. Von Zürich **fahren** wir dann über Schaffhausen **zurück** nach Deutschland.

ÜBUNG 3 – *Setzen Sie den Text ins Futur!*

Beispiel: **Im August <u>werden</u> wir in die Schweiz <u>fahren</u> ...**

_____

_____

_____

ÜBUNG 4

Beispiel: – Wie lange sind Sie schon in Bonn?
  – ***Seit Februar.***

1. Wir werden nächste Woche einen Ausflug ans Meer machen.

2. Wann gehen wir ins Kino?

3. Was halten Sie von meinem Kostüm?

4. Haben Sie schon bestellt?

5. Bitte, rufen Sie Frau Keitel an!

6. Herr Ober, ein Bier bitte.

7. Tag, Frau Bauer, wie geht's?

8. Wir möchten gern bezahlen.

9. Wissen Sie, wo der Rosenweg ist?

10. Kann ich mit Frau Helm sprechen?

– Das macht 44,20 DM.

– Noch nicht.

– Ich bin leider auch nicht von hier.

– Kommt sofort!

– Wird gemacht!

➤ – **Seit Februar.**

– Danke, ausgezeichnet.

– Wie wär's mit morgen?

– Am Apparat!

– Sehr elegant.

– Viel Spaß!

Herr Huber reist oft für seine Firma ins Ausland. Nächste Woche wird er zu einer Besprechung nach England fliegen. Seine Sekretärin, Anita Bauer, ruft das Reisebüro Globus an.

Angestellter: Reisebüro Globus, guten Tag!

Frau Bauer: Tag, hier spricht Anita Bauer von der Firma TransEuropa.

Angestellter: Ach Frau Bauer, guten Tag! Was kann ich für Sie tun?

Frau Bauer: Herr Huber muß nächsten Dienstag nach London fliegen.

Angestellter: Moment ... Ja, in der Maschine um 8.20 Uhr und in der Maschine um 9.55 Uhr ist noch etwas frei.

Frau Bauer: 9.55 Uhr paßt ausgezeichnet. Und wann kann er zurückfliegen? Er hat gesagt, er will bis Donnerstag bleiben.

Angestellter: Donnerstag ... Die letzte Maschine fliegt um 20.30 Uhr ab.

Frau Bauer: Das ist aber sehr spät. Herr Huber hat am Abend noch ein Geschäftsessen.

Angestellter: Hmm, wie wär's mit 16.30 Uhr?

Frau Bauer: Sehr gut. Und reservieren Sie bitte auch noch ein Einzelzimmer im Hotel Stuart.

Angestellter: Zwei Übernachtungen im Stuart also?

Frau Bauer: Nein, nur eine für Mittwoch! Am Dienstag wird er bei Freunden übernachten.

Angestellter: Gut. Und wenn im Stuart kein Zimmer mehr frei ist, wie wär's dann mit dem Royal? Das ist ein ausgezeichnetes Hotel. Es wird ihm dort gut gefallen.

Frau Bauer: Also schön. Er möchte natürlich lieber im Stuart wohnen, aber ...

Angestellter: Wir werden sehen. Ich buche alles und werde Sie in 10 Minuten zurückrufen.

Frau Bauer: Das ist sehr nett von Ihnen! Vielen Dank und auf Wiederhören!

ÜBUNG 5

1. Warum muß Herr Huber nach London reisen?

2. Ist er oft oder nur manchmal für seine Firma unterwegs?

3. Wie lange wird er in England bleiben?

4. Wann wird Herr Huber zurückkommen?

5. Warum kann er nicht am Donnerstag abend zurückfliegen?

6. Wo wird er am Dienstag übernachten?

7. Wo kann er wohnen, wenn im Stuart kein Zimmer frei ist?

8. Wann wird der Angestellte des Reisebüros zurückrufen?

ÜBUNG 6

Beispiel: Wir haben unsere Hotelrechnung schon **_bezahlt_** , weil wir morgen sehr früh abfahren werden.

1. Ich fahre aufs Land, und meine Tochter _____.

2. Gibt es hier eine Umkleidekabine, wo man etwas _____ kann?

3. Frau Schröder sagt, sie wird ihre Urlaubsreise um eine Woche _____.

4. Alle werden am Wochenendausflug teilnehmen, nur Monika hat _____.

5. Ich rufe die Lufthansa an und _____ einen Flug für zwei Personen.

6. Herr Ober, noch einen Kaffee bitte. Und können Sie uns auch die Rechnung _____?

7. Das Reisebüro hat _____ und uns mitgeteilt, daß in der 9-Uhr-Maschine noch etwas frei ist.

8. Man hat Christian eine Nachricht _____ , weil er nicht im Hause war.

9. Herrn Hubers Sekretärin kann mich nicht mit ihm _____ , weil er auf der anderen Leitung spricht.

10. Ich nehme diesen Anzug! Können Sie ihn bitte _____?

absagen

anprobieren

anrufen

bezahlen

einpacken

hinterlassen

mitbringen

mitfahren

reservieren

verbinden

verschieben

ÜBUNG 7

Beispiel: Dieses Jahr fahre ich __als__ Tourist in die Schweiz.

    a) für   **b) als**   c) in

1. Wir zeigen einem Freund, _____ aus Japan kommt, die Stadt.
       a) dem   b) den   c) der

2. Werden Sie dieses Wochenende _____ Land fahren?
       a) zum   b) aufs   c) am

3. Frau Schenk sagt, sie muß selten geschäftlich _____ Ausland fliegen.
       a) nach   b) zum   c) ins

4. Ich habe gelesen, daß _____ Deutschen 6 Wochen Urlaub im Jahr haben.
       a) die meiste   b) die meisten   c) meistens

5. Schuberts wollen im Mai eine lange Reise nach Ägypten _____.
       a) fahren   b) machen   c) verbringen

6. Wohin fahren Sie am liebsten _____ Urlaub?
       a) in   b) zum   c) auf

7. Bergers sagen, sie buchen ihr Hotel nicht immer 3 Monate _____ voraus.
       a) um   b) in   c) im

8. Wissen Sie, _____ dieses Gepäck aufgegeben hat?
       a) wem   b) wer   c) wen

9. Der Ober bringt der Kollegin, _____ dort sitzt, die Speisekarte.
       a) den   b) der   c) die

10. Was _____ Ihnen mehr Spaß, Urlaub in Ihrem Land oder im Ausland?
        a) tut   b) gibt   c) macht

Haben Sie ein Zimmer frei?

Ich möchte gern ein Zimmer reservieren.

Haben Sie ein Zimmer frei?

Wie lange werden Sie bleiben?

Ich werde gegen 17 Uhr ankommen.

Wo kann ich meinen Wagen parken?

Was für Zimmer haben Sie?

Was kostet eine Übernachtung?

145 Mark, mit Frühstück.

Haben Sie auch billigere Zimmer?

Möchten Sie ein Doppel- oder ein Einzelzimmer?

Mit oder ohne Bad?

Halb- oder Vollpension?

Tut mir leid. Wir haben nichts mehr frei.

Guten Tag! Wir haben ein Zimmer reserviert.

Und wie ist Ihr Name, bitte?

Hier ist Ihr Zimmerschlüssel.

Bitte schreiben Sie mir die Rechnung.

Kann ich mit Kreditkarte bezahlen?

Welche Kreditkarten nehmen Sie?

Das ist ...
– der Ausflug
     Berg
     Koffer
     Tourist
     Urlaub
     Zimmerservice

– die Broschüre
     Halb / Vollpension
     Reise
     Reisetasche
     Rezeption
     Touristenklasse
     Übernachtung
     Zwischenlandung

– das Ausland
     Bad
     Einzel/Doppelzimmer
     Handgepäck
     Meer
     Reisebüro
     Ticket

Was werden Sie tun?
– Wir werden ans Meer fahren.
  Ich werde Ihnen etwas mitbringen.

Wer bezahlt meine Telefonrechnung?
– Ulla wird sie bezahlen.

Was sagt er / sagen sie?
– Er sagt, er will bis ... bleiben.
  Sie sagen, sie buchen ihren Urlaub.

Reisen Sie geschäftlich?
– Nein, als Tourist.

Wohin machen Sie einen Ausflug?
– Wir fahren aufs Land
       ans Meer
       in die Berge

Fahren Sie immer nach Italien?
– Nein, ich fahre meistens nach
  Spanien.

*Fahren alle Deutschen im Urlaub
ins Ausland?*
– Nein, aber die meisten Deutschen
  fahren im Urlaub ins Ausland.

Ausdrücke:
Grüß Gott!
Am Apparat!
Kann ich Ihnen helfen?
Ich bin leider auch nicht von hier.
Was kann ich für Sie tun?
Das ist aber sehr spät.
Wir werden sehen.
Wird gemacht!
Das ist nett.
Viel Spaß!

KAPITEL

2

Ulrich Lempert, der an diesem Morgen nach Warschau fliegen muß, wacht auf. Der Wecker hat nicht geklingelt!

– Viertel nach acht!! Meine Güte, schon so spät!

Er steht auf und geht ins Bad. Jetzt muß er sich aber beeilen. Seine Maschine wird um 10 Uhr abfliegen, und er muß auch noch packen. Er duscht und rasiert sich und zieht sich schnell an. Dann geht er zum Telefon.

– Guten Morgen! Ich möchte ein Taxi bestellen. Die Adresse ist Kleiststraße 24! ... Ja, sofort! ... Zum Flughafen! Vielen Dank!

Er packt schnell seine Reisetasche und zieht seine Jacke an. Er sieht wieder auf die Uhr: fünf nach neun. Ein paar Minuten später klingelt der Taxifahrer. Herr Lempert läuft aus dem Haus und setzt sich ins Taxi.

– Zum Flughafen! Und beeilen Sie sich, bitte! Ich muß um halb 10 da sein!

Um diese Zeit sind natürlich viele Leute mit dem Auto unterwegs zur Arbeit. Herr Lempert sieht wieder auf die Uhr.

– Können Sie nicht etwas schneller fahren? Mein Flug geht um 10 Uhr, und die Maschine wird nicht auf mich warten!

Herr Lempert steckt seine Hand in die Jackentasche: Brieftasche, Ticket und Paß? Ja, er hat alles.

Um Viertel vor zehn kommt das Taxi am Flughafen an. Herr Lempert bezahlt, gibt dem Taxifahrer ein gutes Trinkgeld und geht zum Lufthansa-Schalter. Gut, daß er nur Handgepäck hat und keinen Koffer aufgeben muß. Er sieht wieder auf die Uhr.

– Noch zehn Minuten. Jetzt schnell zum Flugsteig[1] C 13.

In diesem Moment hört er: *„Achtung, Fluggäste [2] gebucht auf Lufthansa Flug 421 nach Warschau: Die Maschine wird sich um 45 Minuten verspäten. Neue Abflugzeit [3] 10.45 Uhr!"*

[1] *Flugsteig = dort fliegen die Flugzeuge ab*
[2] *Fluggäste = Leute, die mit dem Flugzeug fliegen*
[3] *Abflugzeit = wenn ein Flugzeug abfliegt*

ÜBUNG 8

1. Warum ist Herr Lempert zu spät aufgewacht?

2. Was tut er, bevor er aus dem Bad kommt?

3. Wie kommt er zum Flughafen?

4. Warum kann das Taxi nicht schnell fahren?

5. Was tut er, nachdem das Taxi am Flughafen angekommen ist?

6. Warum braucht er keinen Koffer aufzugeben?

7. Wohin muß er dann gehen?

8. Warum kann Herr Lempert nicht um 10 Uhr nach Warschau fliegen?

*Herr Lempert **wäscht** sein Auto.* *Herr Lempert **wäscht sich**.*

	heute	gestern	morgen
ich	wasche **mich**	habe **mich** gewaschen	werde **mich** waschen
Sie	waschen **sich**	haben **sich** gewaschen	werden **sich** waschen
er / sie / es	wäscht **sich**	hat **sich** gewaschen	wird **sich** waschen
wir	waschen **uns**	haben **uns** gewaschen	werden **uns** waschen
sie	waschen **sich**	haben **sich** gewaschen	werden **sich** waschen

Ich werde **mich** früh ins Bett **legen**.

Hat **sich** Renate über die Blumen **gefreut**?

Wir **fragen uns**, warum Jan nicht hier ist.

Beeilen Sie **sich**!

ÜBUNG 9

A. *Beispiel:* Wenn Kurt abends nach Hause kommt, __*duscht*__ er __*sich*__ .

1. Hubers haben _____ nach ihrer langen Reise
   gleich ins Bett _____.

2. Jochen _____ immer modisch _____.

3. Ich _____ jeden Morgen im Bus neben
   meinen Kollegen Bertram.

4. Worüber haben Sie _____ gestern _____?

5. Wenn das Taxi nicht gleich kommt, werden wir _____.

> sich anziehen
>
> sich verspäten
>
> **sich duschen**
>
> sich legen
>
> sich freuen
>
> sich setzen

B. *Beispiel:* Ulrich beeilt sich, um pünktlich zum Flughafen zu kommen. *(müssen)*
   Ulrich muß sich beeilen, um pünktlich zum Flughafen zu kommen.

1. Nach dem Mittagessen lege ich mich hin. *(wollen)*

2. Dieses Jahr freuen wir uns wirklich auf unseren Urlaub in Portugal.
   (können)

3. Frau Lüders hat 20 Minuten im Bus gestanden. Jetzt setzt sie sich hin!
   (können)

4. Diese Woche sehe ich mir Giselas neues Auto an. *(dürfen)*

5. Wenn unsere kleine Tochter morgens aufsteht, kämmt sie sich nicht.
   (wollen)

ÜBUNG 10

Beispiel: Wir haben uns gestern abend die Bilder von Ihrer
Australienreise __*angesehen*__ .

1. Meine Kollegen werden nicht an der
   Besprechung in Budapest _____.

2. Eberhard war gestern allein im Kino. Petra ist
   nicht _____.

3. Können wir unseren Termin nächste Woche
   um zwei Tage _____?

4. Wenn ich den Bus um 17 Uhr _____, werde ich
   ein Taxi nehmen.

5. Ulrich ist spät _____, weil er seinen Wecker nicht
   gestellt hat.

6. Haben Sie schon einmal im Hotel Ritz in Paris
   _____?

7. Herr Schroth muß ein paar Stunden im Flughafen
   _____, weil seine Maschine sich verspäten wird.

8. Sie können Frau Kern _____, daß ich morgen nicht im Hause bin.

9. Wann sind Lemperts _____, heute oder gestern?

10. Frau Schreiner wird am Lufthansa-Schalter ihre Koffer _____.

ankommen

ansehen

aufgeben

aufwachen

mitgehen

mitteilen

teilnehmen

übernachten

verbringen

verpassen

verschieben

SIE HABEN EINE GRIPPE!

Heute morgen geht Ulrich Lempert nicht ins Büro. Er fühlt sich nicht wohl und ruft bei seinem Arzt an.

Arzthelferin[1] *:*   Praxis Dr.[2] Grewen, guten Morgen!

Herr Lempert: Guten Morgen! Mein Name ist Ulrich Lempert. Ich möchte gern einen Termin, wenn möglich heute noch. Ich fühle mich nicht wohl.

Arzthelferin: Heute noch? Das ist schwierig. Haben Sie Schmerzen?

Herr Lempert: Ja, ich habe starke Magenschmerzen!

Arzthelferin: Hm ...Wir haben heute viele Patienten. Können Sie vielleicht etwas später kommen? Der einzige Termin, den ich Ihnen geben kann, ist um halb 5. Dann kann Dr. Grewen Sie untersuchen.

Herr Lempert: Um halb 5. Na gut. Vielen Dank!

                 (Um halb 5 sitzt Herr Lempert in Dr. Grewens Praxis.)

Dr. Grewen: So, Herr Lempert, ich höre, es geht Ihnen nicht gut.

[1] *Arzthelferin = Angestellte in einer Praxis*
[2] *Dr. / Doktor = Arzt*

Herr Lempert: Ja, ich habe Kopf- und Magenschmerzen, und ich bin immer müde.

Dr. Grewen: Setzen Sie sich bitte hier hin, und ziehen Sie sich das Hemd aus.

(Herr Lempert bekommt von Dr. Grewen ein Thermometer zum Fiebermessen. Dann untersucht ihn der Arzt.)

Herr Lempert: Also, Herr Doktor, was stimmt nicht mit mir?

Dr. Grewen: Nun, Sie haben eine Grippe und auch etwas Fieber. Sie müssen die nächsten Tage im Bett bleiben. Ich werde Ihnen etwas verschreiben. Nehmen Sie die Tabletten dreimal täglich[3] vor dem Essen!

Herr Lempert: Und wann kann ich wieder zur Arbeit gehen?

Dr. Grewen: Mit den Medikamenten, die ich Ihnen gerade verschreibe, werden Sie sich schon morgen besser fühlen. Wenn es Ihnen aber in zwei Tagen nicht besser geht, rufen Sie mich an.

Herr Lempert: Gut! Vielen Dank, Herr Doktor! Auf Wiedersehen!

[3] *dreimal täglich = dreimal am Tag*

ÜBUNG 11

1. Warum geht Herr Lempert heute nicht arbeiten?

2. Wo hat er besonders starke Schmerzen?

3. Warum kann er seinen Arzt nicht sofort sehen?

4. Was tut Herr Lempert, bevor der Arzt ihn untersucht?

5. Was hat Herr Lempert?

6. Was soll Herr Lempert tun, wenn er in ein paar Tagen immer noch krank ist?

> Sie haben einen Koffer. Sie geben ihn am Schalter auf.
> Sie haben einen Koffer, **den** Sie am Schalter aufgeben.
>
> Uta ist eine Freundin, **die** ich täglich anrufe.
>
> Wo ist das Bier, **das** Oskar gekauft hat?
>
> Die Schuhe, **die** Rita gesehen hat, sind aus Italien.

ÜBUNG 12

Beispiel: Im Schaufenster hängt der Anzug, __*den*__ ich schon lange haben will.

1. Der 18jährige Ulli hat ein neues Auto, _____ er noch nicht bezahlt hat.

2. Woher sind die jungen Leute, _____ ich auf dem Foto gesehen habe?

3. Meine Frau fragt nach dem Kellner, _____ wir gestern im Restaurant gesehen haben.

4. Wann kommt der Zug, _____ Sie nehmen müssen?

5. Ich erhole mich allmählich von der Grippe, _____ ich letzte Woche plötzlich bekommen habe.

6. Wir haben einen Freund in Berchtesgaden, _____ wir dieses Jahr unbedingt besuchen wollen.

7. Wo haben Sie den Wein gekauft, _____ Sie uns serviert haben?

8. Frau Zenker zeigt mir erst heute die Postkarte, _____ Richard aus Brasilien geschickt hat.

9. Ist der Computer, _____ die Firma gekauft hat, teuer gewesen?

10. Das Hotel, _____ Sie empfohlen haben, hat uns sehr gut gefallen.

ÜBUNG 13

Beispiel: Dr. Grewen ist __*Arzt*__ in Bornheim.

1. Er hat eine _____ in der Bergerstraße.

2. Er ist 1,80 m _____.

3. Der 45 _____ Arzt hat schwarze _____ und einen _____.

4. Seine _____ sagen, daß er ein guter Arzt ist.

5. Grewens sind _____ 20 Jahren verheiratet und haben keine Kinder.

6. Frau Grewen arbeitet in einer _____.

7. Sie ist 40 _____, trägt eine Brille und ist sehr _____.

8. Mit ihren langen _____ Haaren sieht sie _____ aus als sie ist.

Haare
blonden
Bart
groß
Apotheke
jünger
hübsch
Arzt
Jahre alt
Patienten
Praxis
jährige
seit

Gesundheit!

Wie fühlen Sie sich?

Was haben Sie?

Geht es Ihnen nicht gut?

Haben Sie Fieber?

Wo haben Sie Schmerzen?

Mir geht's nicht so gut.

Ich bin krank.

Ich habe Magenschmerzen.

Was stimmt nicht mit mir?

Ich brauche etwas für meinen Magen.

Wie oft muß ich die Tabletten nehmen?

Sie müssen im Bett bleiben.

Ich werde Ihnen etwas verschreiben.

Dieses Medikament bekommen Sie in der Apotheke.

Nehmen Sie dreimal täglich diese Tabletten.

Sie müssen sich ins Bett legen!

Geht's Ihnen wieder besser?

Gute Besserung!

Ich fühle mich schon viel besser.

Mir geht's wieder gut.

Das ist ...
– der Arzt
      Bart
      Magen
      Patient
      Rücken
      Wecker

– die Apotheke
      Erkältung
      Grippe
      Praxis
      Tablette

– das Bett
      Fieber
      Gesicht
      Medikament
      Rezept
      Thermometer
      Wartezimmer

Das sind ...
– die Haare
      Schmerzen

Was tue ich / tun Sie / tut er?
– Ich ziehe mich an.
  Ich sehe mir Giselas Auto an.
  Sie verspäten sich.
  Er freut sich.
  Wir beeilen uns.
  Sie setzen sich.

Warum müssen Sie sich beeilen?
– Ich muß mich beeilen, um pünktlich
  zum Flughafen zu kommen.

Warum legt sich Inge hin?
– Sie legt sich hin, weil sie müde ist.

Was ist das?
– *Das ist ...*
  der Anzug, den ich haben will.
  die Karte, die ich geschrieben habe.
  das Hotel, das Sie empfohlen haben.

Was sind das?
– Das sind die Schuhe, die Rita
  gekauft hat.

Müssen Sie zum Arzt gehen?
– Es ist wichtig, daß ich zum Arzt
  gehe.

Muß er Sie untersuchen?
– Es ist notwendig, daß er mich
  untersucht.

Haben Sie vielleicht Fieber?
– Es ist möglich, daß ich Fieber
  habe.

Ausdrücke:
Schon so spät!
Beeilen Sie sich bitte!
Ich muß um halb 10 da sein!
Heute noch?
Jetzt schnell zum Flugsteig C.
Gut, daß ich nur Handgepäck habe!
Meine Güte!
Wie fühlen Sie sich?
Mir geht's nicht so gut.
Was stimmt nicht mit mir?
Gute Besserung!

KAPITEL

3

28. März

Letzte Woche traf ich zufällig meine frühere Nachbarin Kerstin in der Stadt. Sie hat sich überhaupt nicht verändert, immer noch so nett und hübsch wie damals.

Als wir dann in ein Café gingen, hat sie mir alles erzählt: Vor drei Jahren lernte sie im Urlaub einen jungen Mann kennen. Georg ist Österreicher und kommt aus Linz. Tja, und jetzt ist sie mit ihm verheiratet und wohnt seit April letzten Jahres in Linz.

Ich weiß noch, wie begeistert[1] sie von Österreich war. Wenn sie von dort zurückkam, sprach sie immer schon über ihren nächsten Urlaub.

Kers
wera

29. /

Kers
ich m
Frag
Cimin
noch

[1] *begeistert sein = etwas ausgezeichnet finden*

Kerstin hat mich dann gefragt, ob ich sie einmal besuchen werde, im Juli vielleicht ...

und

s

einen

und

es in Linz.

ich war.

r schon

29. März

Kerstin rief mich heute im Büro an. Sie fragte mich, ob ich mit Georg und ihr ausgehen möchte. Was für eine Frage! Ich werde morgen mit den beiden[2] im Restaurant Cimino zu Abend essen, und dann werden wir vielleicht noch in unserer alten Lieblingskneipe ein Bier trinken ...

[2] den beiden = den zwei Freunden

ÜBUNG 14

1. Wo lernte Kerstin Georg kennen?

2. Woher kommt ihr Mann?

3. Warum fuhr Kerstin früher oft nach Österreich?

4. Warum rief sie heute Anita im Büro an?

5. Wann wird Anita ihre Freundin in Österreich besuchen?

> Jetzt wohnt Kerstin in Österreich.
> → Früher **wohnte** sie in Frankfurt.
>
> Sie **stellte** mir ihren Mann vor.
> Wir **arbeiteten** bei einer großen Firma.

Regelmäßige Verben

	sagen	wohnen	aufhören
ich	sag**te**	wohn**te**	hör**te** ... auf
er / sie / es	sag**te**	wohn**te**	hör**te** ... auf
wir, sie	sag**ten**	wohn**ten**	hör**ten** ... auf
Sie	sag**ten**	wohn**ten**	hör**ten** ... auf

Unregelmäßige Verben *(siehe Anhang S. 170)*

	fahren	bitten	gehen	kennen	wissen
ich	**fuhr**	**bat**	**ging**	**kannte**	**wußte**
er / sie / es	**fuhr**	**bat**	**ging**	**kannte**	**wußte**
wir, sie	**fuhren**	**baten**	**gingen**	**kannten**	**wußten**
Sie	**fuhren**	**baten**	**gingen**	**kannten**	**wußten**

	haben	sein	werden
ich	**hatte**	**war**	**wurde**
er / sie / es	**hatte**	**war**	**wurde**
wir, sie	**hatten**	**waren**	**wurden**
Sie	**hatten**	**waren**	**wurden**

ÜBUNG 15

Beispiel: Georg und Kerstin __*fuhren*__ *(fahren)* nach Bonn, um ihren Cousin Max zu besuchen.

Er _____ *(warten)* schon am Bahnhof auf sie. Er _____ *(sagen)* ihnen guten Tag und _____ *(fragen)*, ob sie eine gute Reise _____ *(haben)* .

Zuerst _____ *(gehen)* sie in die Stadt, und Max _____ *(zeigen)* ihnen den Marktplatz mit seinen schönen alten Häusern. Bevor sie in seine Wohnung _____ *(fahren)*, _____ *(gehen)* sie in ein Café am Rhein und _____ *(trinken)* etwas .

Am nächsten Tag _____ *(arbeiten)* Max, und Georg und Kerstin _____ *(fahren)* nach Rhöndorf, in der Nähe von Bonn, um das Adenauer-Haus zu besuchen. In dem Fahrkartenautomaten an der U-Bahnhaltestelle _____ *(geben)* es rote, grüne und weiße Fahrkarten. Jetzt _____ *(wissen)* sie natürlich nicht, welche Fahrkarten sie _____ *(brauchen)*. Und der Fahrplan _____ *(sein)* auch nicht einfach zu verstehen. Eine Frau, die zufällig neben ihnen _____ *(stehen)*, _____ *(wissen)* es leider auch nicht. Also _____ *(gehen)* sie zur Auskunft, um den Mann hinter dem Schalter zu fragen. Er _____ *(schreiben)* etwas auf dem Computer und _____ *(sagen)* ihnen dann, daß ihre U-Bahn in 5 Minuten abfährt und daß eine Fahrkarte 5,20 DM kostet.

Georg und Kerstin _____ *(bezahlen)* und _____ *(nehmen)* dann die nächste U-Bahn. 40 Minuten später _____ *(sein)* sie in Rhöndorf. Und was _____ *(sehen)* sie, als sie am Konrad-Adenauer-Haus _____ *(ankommen)*? An der Tür _____ *(hängen)* ein Schild: „Heute geschlossen!" So ein Pech!

HAST DU SCHON ETWAS VOR?

Georg Leitner hat seiner Frau Kerstin zwei Karten fürs Theater geschenkt. Aber am Tag der Vorstellung muß er geschäftlich nach München fahren. Kerstin ruft ihre alte Freundin Gerda Moser an.

Gerda: Moser.

Kerstin: Hallo Gerda, wie geht's dir?

Gerda: Gut, und dir?

Kerstin: Danke, ausgezeichnet! Du, ich habe zwei Theaterkarten für heute abend, und Georg kann nicht mitgehen. Hast du schon etwas vor?

Gerda: Noch nicht! Sag mal, für welches Stück hast du Karten?

Kerstin: Für „Die Dreigroschenoper" von Bertolt Brecht. Im Landestheater. Hast du Lust?

Gerda: Die Dreigroschenoper? Aber natürlich! Wann fängt die Vorstellung an?

Kerstin: Um halb acht. Kannst du um 19 Uhr am Theater sein?

Gerda: Kein Problem! Wir können ja anschließend in der Nähe noch etwas trinken.

Kerstin: Gute Idee! Bis um sieben dann ...

Nach dem Theater sitzen Gerda und Kerstin im Café und trinken noch einen Wein.

Gerda: Prost Kerstin! Noch einmal vielen Dank für die Einladung. Das war wirklich nett von dir.

Kerstin: Nichts zu danken. Ich freue mich, daß wir uns wieder einmal treffen. Hat dir das Stück gefallen?

Gerda: Es war großartig … Hör mal, Georg und du, wollt ihr nicht am Samstag zum Essen kommen? Ich habe ein paar Freunde in meine neue Wohnung eingeladen.

Kerstin: Aber gern. Georg wird sich freuen. Ihr habt euch auch lange nicht gesehen.

ÜBUNG 16

1. Warum ruft Kerstin ihre Freundin Gerda an?

2. Warum kann ihr Mann nicht mitkommen?

3. Was werden sich die beiden heute abend ansehen?

4. Wo ist die Vorstellung?

5. Was werden sie nach dem Theater machen?

6. Wie fand Gerda „Die Dreigroschenoper"?

7. Wo werden sich Gerda und Kerstin am Wochenende sehen?

8. Wen wird Kerstin mitbringen?

Sie	lernen	fahren	lesen	nehmen	haben	sind
du	**lernst**	**fährst**	**liest**	**nimmst**	**hast**	**bist**
ihr	**lernt**	**fahrt**	**lest**	**nehmt**	**habt**	**seid**

(siehe Anhang S. 170)

Ich besuche **Sie**. ↗ Ich besuche **dich**.
↘ Ich besuche **euch**.

Ist das **Ihr** Auto? ↗ Ist das **dein** Auto?
↘ Ist das **euer** Auto?

Woher sind **Sie**? ↗ Woher bist **du**?
↘ Woher seid **ihr**?

Wie geht's **Ihnen**? ↗ Wie geht's **dir**?
↘ Wie geht's **euch**?

Du siehst meinen Bruder jeden Tag in der Firma.
Was wirst du an **deinem** Geburtstag machen?
Ihr könnt direkt vor der Oper parken.
Wo **amüsiert ihr euch** heute abend?

ÜBUNG 17 — *Benutzen Sie die du- und ihr-Form!*

Beispiele: __*Du*__ hast meinen Geburtstag vergessen.

Wo ist __*deine*__ Lieblingskneipe, Gisela?

1. Ich möchte _____ zum Abendessen einladen, Achim.

2. Rita, _____ kannst Gerd sagen, daß er um 18 Uhr bei uns vorbeikommen kann.

3. Habt _____ _____ Cousin eine Einladung geschickt?

4. Jutta und Hans, wo wohnt _____ früherer Nachbar?

5. Ich bringe _____ morgen _____ CDs zurück, Wolfgang.

6. Eva, ich habe _____ Freundin zwei Konzertkarten gegeben.

7. Wann habt _____ _____ Reise nach Portugal gebucht?

8. Hast _____ _____ Onkel zu seinem neuen Haus gratuliert?

Lieber Herr Lindner,

ich will mich bei Ihnen noch einmal für Ihre Einladung bedanken und für die netten Tage, die wir bei Ihnen in Linz verbracht haben. Ihre Stadt hat uns wirklich sehr gut gefallen. Das Restaurant an der Donau, das Sie uns empfohlen haben, war ausgezeichnet. Wir möchten Sie gern einmal wieder besuchen, wenn Sie Zeit haben. Aber vielleicht wollen Sie einmal etwas von Berlin sehen? Wir zeigen Ihnen gern das Brandenburger Tor, und anschließend fahren wir zum Kurfürstendamm. Wenn Sie möchten, können Sie auch mit uns ein paar Tage am Wannsee verbringen.

Also, wie wär's? Haben Sie nicht Lust, einmal zu kommen? Natürlich können Sie Ihren Hund mitbringen. Und noch einmal, vielen Dank an Sie und Ihre Familie.

Ihre ...

ÜBUNG 18 – *Setzen Sie den Text in die du- und ihr-Form!*

A. *Lieber Franz,*

   *ich will mich bei **Dir** noch einmal für **Deine** Einladung ...*

B. *Liebe Elisabeth, lieber Franz,*

   *ich will mich bei **Euch** noch einmal für **Eure** Einladung ...*

Herr Schulte und ein Kunde
verabschieden sich.

Ulla gab Jan ein Geschenk, und Jan gab Ulla ein Geschenk.
→ **Sie** gaben **sich** Geschenke.

Ich schreibe **dir**, und **Du** schreibst **mir**.
→ **Wir** schreiben **uns**.

Herr Brehm und Frau Kast kennen **sich** von der Arbeit.
Du und Maria, wie oft seht **ihr euch**?

ÜBUNG 19

Beispiel: **Burkhard** hat **Luise** gesehen. *(sie)*
Sie haben <u>sich</u> gesehen.

1. **Ich** werde **meinen Bruder** nicht am Flughafen treffen. *(wir)*

2. Schreibst **du** manchmal **deinen Eltern**? *(ihr)*

3. Morgen wird **Robert Laura** kennenlernen. *(sie)*

4. Letzte Woche habt **ihr eure Freunde** jeden Abend gesehen. *(ihr)*

5. Ist **Silke ihrem Chef** in der Stadt begegnet? *(sie)*

6. **Ich** unterhalte mich mit **Ihnen** über einen neuen Film. *(wir)*

7. Trifft **Frau Wagner Herrn Stahl** in der Picasso-Ausstellung? *(sie)*

8. Früher hast **du Jürgen** oft angerufen. *(ihr)*

Wie geht's?

Wie geht es dir?
Wir haben uns lange nicht gesehen.
Was macht die Arbeit?

Mir geht's gut. Und dir?
Ausgezeichnet!

Auf Wiedersehen!
Bis morgen.
Ruf mich mal an!

Werner, darf ich dir Frau Schaar vorstellen?
Ich möchte dir meine Frau vorstellen.
Michael, das ist mein Kollege Bernd.

Sehr angenehm.
Es freut mich.
Nett dich kennenzulernen.
Ich habe viel von dir gehört.

Was gibt's?

Hast du heute abend etwas vor?
Wir möchten dich zu unserer Party am Samstag einladen.
Hast du Lust ins Kino zu gehen?

Wo wollen wir uns treffen?
Kommt einfach bei uns vorbei.

Tut mir leid, ich habe keine Zeit.
Es ist spät. Ich muß jetzt gehen.

KAPITEL 3 – ZUSAMMENFASSUNG

Das ist ...
– der Cousin
  Geburtstag
  Nachbar
  Onkel

– die Cousine
  Einladung
  Eintrittskarte
  Lieblingskneipe
  Musik
  Oper
  Vorstellung

– das Konzert
  Tagebuch
  Theater
  Theaterstück

Was machte(n) ...?
– Sie waren in Bonn.
  Ich ging zur Auskunft.
  Georg kaufte eine Fahrkarte.
  Wir fuhren nach Rhöndorf.
  Sie hatten eine gute Reise.

Woher bin ich?
– Du bist aus Berlin.

Können wir vorbeikommen?
– Ja, ihr könnt vorbeikommen.

Besuchst du mich?
– Ja, ich besuche dich.

Schreibt ihr uns?
– Nein, wir schreiben euch
  nicht.

Wem ist diese Eintrittskarte?
– Das ist deine.

Ist das unser oder euer Parkplatz?
– Das ist euer Parkplatz.

Wer schreibt sich?
– Wir schreiben uns.
  Ihr schreibt euch.
  Sie schreiben sich.

Ausdrücke:
Hast du schon etwas vor?
Noch nicht!
Hast du Lust?
Heute geschlossen!
So ein Pech!
Kommst du mit?
Aber natürlich!
Großartig!
Gute Idee!
Herzlichen Glückwunsch!
Prost!
Bis dann!

KAPITEL

4

Paul Fraser, Kanadier aus Toronto, ist gestern in Frankfurt am Main angekommen, wo er für seine Firma arbeiten wird. Heute morgen geht er zur Bank.

Angestellte: Guten Morgen! Kann ich Ihnen helfen?

Paul: Ja. Ich möchte gern ein Konto eröffnen.

Angestellte: Sehr gern. Kann ich bitte Ihren Ausweis sehen?

Paul: Ich habe einen kanadischen Paß. Geht das?

Angestellte: Ja, sicher. Für die Kontoeröffnung brauche ich auch Ihre Adresse, Telefonnummer, und Name und Anschrift Ihrer Firma.

Paul: Ich bin gestern angekommen und habe noch keine Wohnung. Im Moment wohne ich im Hotel Mainblick am Sachsenhäuser Berg. Ich lasse auch meine Post in dieses Hotel schicken.

Angestellte: Dann werde ich die Anschrift des Hotels in das Formular schreiben. Aber bitte teilen Sie uns Ihre neue Adresse mit, wenn Sie eine Wohnung haben. Bei welcher Firma sind Sie?

Paul: Ich arbeite bei Canatel hier in Frankfurt.

Angestellte: Und wieviel möchten Sie einzahlen?

Paul: 2000 kanadische Dollar in Reiseschecks.

Die Angestellte läßt Paul die Formulare unterschreiben, nachdem sie sie ausgefüllt hat.

Paul: Und dann möchte ich noch 250 Dollar in bar wechseln.

Angestellte: Da gehen Sie bitte zur Kasse 1. Dort kann Ihnen meine Kollegin helfen.

Paul: Danke! Ach ... Noch etwas: Gibt es in der Nähe einen Supermarkt?

Angestellte: Sicher. Wenn Sie aus der Bank kommen, gehen Sie links. Auf der rechten Seite ist eine Einkaufspassage mit einem großen Supermarkt.

Paul: Vielen Dank! Auf Wiedersehen!

ÜBUNG 20

1. Warum ist Paul in Frankfurt?

2. Was macht er in der Bank?

3. Was muß er der Angestellten zeigen?

4. Welche Informationen braucht die Bankangestellte von Paul?

5. Wo wohnt Paul gerade?

6. Was muß er tun, wenn er eine Wohnung gefunden hat?

7. Was für Geld läßt Paul an der Kasse wechseln?

8. Was will er wissen, bevor er zur Kasse geht?

> Paul reinigt seine Hose nicht selbst.
> → Er **läßt** sie **reinigen**.
>
> Angelika hat ihr Auto **waschen lassen**.
> Wo kann man seinen Computer **reparieren lassen**?
> Ich **ließ** in der Werkstatt mein Auto **nachsehen**.

ÜBUNG 21

Beispiel: Hast du die Formulare selbst ausgefüllt? *(ein Kollege)*
Nein, ich habe sie von einem Kollegen ausfüllen <u>lassen</u>.

1. Schrieb der Direktor seine Geschäftsbriefe selbst? *(seine Sekretärin)*

2. Bucht Herr Huber seine Geschäftsreise selbst? *(Frau Bauer)*

3. Werden Sie Ihren Teppich selbst reinigen? *(die Reinigungsfirma)*

4. Habt ihr diese Fotos selbst gemacht? *(mein Freund)*

5. Untersucht sich der kranke Kollege selbst? *(sein Arzt)*

6. Habt ihr diesen Film selbst entwickelt? *(ein Fotogeschäft)*

7. Reservierst du deinen Flug selbst? *(das Reisebüro)*

8. Brachten Sie das Frühstück selbst aufs Zimmer? *(der Zimmerservice)*

9. Hat Anja ihr Kostüm selbst in die Reinigung gebracht? *(Thomas)*

10. Unterschrieb die Bankangestellte das Formular selbst? *(Herr Fraser)*

Nachdem er aus der Bank gekommen ist, geht Paul zu einem Supermarkt in einer Einkaufspassage. An der Tür gibt man ihm eine kleine Broschüre:

SACHSENPASSAGE
Sachsenpassage 2-5, 60954 Frankfurt

geöffnet montags bis freitags,
8.30 - 18.30 Uhr
donnerstags bis 20.30 Uhr
samstags bis 14.00 Uhr

- Günstige Preise[1]!
- Hier finden Sie alles, vom Schuhgeschäft bis zur Reinigung!

Foto-Klick
Wir entwickeln ihre Fotos in einer Stunde. Sie bezahlen nur die Abzüge, die Ihnen gefallen.

Expreß-Reinigung
Sofortreinigung in weniger als 2 Stunden! Nach Ihrem Einkauf können Sie Ihre gereinigte Kleidung wieder mitnehmen.

Auto-Schnellservice
Ölwechsel in weniger als einer Stunde! Wir haben auch einen Reifenservice.

Supermarkt „International"
Deutsche und internationale Lebensmittel. Jede Woche neue Ang

---

[1] *günstiger Preis = guter Preis*

ÜBUNG 22

1. An welchem Tag ist die Sachsenpassage geschlossen?

2. Welche Abzüge müssen Sie bezahlen, wenn Sie Ihren Film bei Foto-Klick entwickeln lassen?

3. Was für Lebensmittel kann man im Supermarkt kaufen?

4. Wie lange dauert ein Ölwechsel?

5. Wie lange muß man auf seine Kleidung warten, wenn man sie reinigen läßt?

ÜBUNG 23

Beispiel: Paul hat einige __*Einkäufe*__ in der Einkaufspassage gemacht.

1. Ich lasse meine Urlaubsfilme immer im
_____ entwickeln.

2. Wenn Sie ein Konto eröffnen wollen, müssen Sie
dieses _____ unterschreiben!

3. Jede Bank in der _____ hat einen Geldautomaten.

4. Kaufst du deine Brötchen jeden Morgen in der
_____ am Rudolfsplatz?

5. Frau Kleiber konnte kein Fleisch kaufen, weil die
_____ schon geschlossen hatte. Also ging sie
zum _____ , um Fisch zu kaufen.

6. Kaufen Sie Ihr Obst und Gemüse im _____ oder
im Gemüseladen?

Fischgeschäft
Supermarkt
Innenstadt
Werkstatt
Metzgerei
Formular
Einkäufe
Konditorei
Reinigung
Bäckerei
Fotogeschäft
Wechselkurs

7. Ich habe heute morgen meine Kleider zur _____ gebracht.

8. Den _____ des amerikanischen und des kanadischen Dollars sagt Ihnen
meine Kollegin am Schalter 1!

9. Seidels bestellten den Kuchen für die Geburtstagsfeier ihrer Tochter bei einer
_____.

10. Bevor wir in Urlaub fahren, müssen wir unser Auto in die _____ bringen.

Nach einer Besprechung in Wiesbaden muß Paul Fraser zurück nach
Frankfurt, wo er sich im Stadtteil[1] Bockenheim eine Wohnung ansehen will.
Auf der Autobahn hält er an einer Tankstelle an. Er tankt, geht dann zur Kasse
und bezahlt.

– Sagen Sie, wie komme ich von hier nach Bockenheim?

– Das ist ganz einfach: Nehmen Sie die Ausfahrt Frankfurt-Messe! Das sind
   ungefähr 10 Kilometer von hier. Die Schilder nach Bockenheim sehen Sie
   dann schon.

– Alles klar. Danke!

Zehn Minuten später fährt Paul von der Autobahn ab und folgt den Schildern.
Aber nach kurzer Zeit weiß er nicht mehr, wo er sich befindet. Er hält vor
einem Kiosk an. In diesem Moment kommt ein Polizist.

– Sie stehen im Halteverbot! Haben Sie das Verkehrsschild nicht gesehen?

– Ach … Nein. Ich wollte nur schnell jemanden fragen. Ich glaube, ich
   habe mich verfahren.

– Kann ich bitte Ihren Führerschein sehen?

[1] *Stadtteil = die Gegend in einer Stadt*

Paul gibt dem Polizisten seinen Führerschein.

– Und wohin wollen Sie?

– Ich suche den Hessenplatz.

– Den Hessenplatz? Da müssen Sie an der nächsten Kreuzung rechts fahren. Dann immer geradeaus, einen Kilometer vielleicht. Der Hessenplatz befindet sich dann auf der linken Seite.

– Vielen Dank!

ÜBUNG 24

1. Warum war Paul in Wiesbaden?

2. Was will er in Frankfurt?

3. Was macht er an der Tankstelle?

4. Wonach fragt er den Angestellten?

5. Wie weit ist es von der Tankstelle bis zur Autobahnausfahrt?

6. Warum findet Paul den Hessenplatz nicht?

7. Warum hält er an einem Kiosk an?

8. Was will der Polizist sehen?

> *Wollen* Sie ans Meer *fahren*? → **Wollen** Sie ans Meer?
>
> Ulla *kann* heute nicht zur Post *gehen*. → Sie **kann** heute nicht zur Post.
>
> Ich *soll* zum Supermarkt *gehen*. →Ich **soll** zum Supermarkt.
>
> Wann *mußt* du nach Hause *fahren*? → Wann **mußt** du nach Hause?

 Georg spricht gut Englisch. → Er **kann** gut Englisch.

ÜBUNG 25

Beispiel: Der Chef der Firma hat gesagt, daß Paul Fraser für 2 Jahre nach Frankfurt __*soll*__ .

      a. wollen   **b. sollen**   c. können

1. Paul frühstückt heute morgen länger, weil er nicht zur Arbeit _____.

      a. sollen   b. können   c. müssen

2. Er _____ zur Bank, weil er deutsches Geld braucht.

      a. können   b. wollen   c. sollen

3. In der Bank gibt es keine Probleme, denn Herr Fraser _____ gut Deutsch.

      a. sollen   b. müssen   c. können

4. Er fragt eine Angestellte, zu welchem Schalter er _____ , um ein Konto zu eröffnen.

      a. können   b. wollen   c. sollen

5. Dann geht Paul aus der Bank und nimmt ein Taxi, denn er _____ schnell nach Hause.

      a. sollen   b. müssen   c. können

6. Er _____ sich beeilen, weil er sich in einer Stunde mit Freunden im Restaurant treffen will.

      a. müssen   b. sollen   c. können

GEGENTEILE

ÜBUNG 26

Beispiel: A ist der **erste** Buchstabe im Alphabet. Z ist der __*letzte*__ .

1. Das Benzin an dieser Tankstelle ist **teuer**. An der Tankstelle am Beethovenplatz war es _____.

2. Sie wollen einen Anzug aus Seide **kaufen**? Tut mir leid, aber wir _____ keine Seidenanzüge, nur Anzüge aus Wolle.

3. Nur für die Arbeit **zieht** Markus ein Jackett **an**. Wenn er nach Hause kommt, _____ er es wieder _____.

4. Ihre Maschine wird um 14.10 Uhr in Frankfurt **starten** und um 17.55 Uhr in Miami _____.

5. Ist die Leitung **immer noch** besetzt? Nein, jetzt ist sie _____ besetzt!

6. Ich kann Sie nicht verstehen! Sie sprechen zu **schnell**! Bitte sprechen Sie _____!

7. Warst du **schon** in der neuen Fußgängerzone in der Innenstadt? Nein, _____.

8. Tante Sophie hat eine Stunde nach ihrem Schlüssel **gesucht**, bis sie ihn _____ hat.

9. Gestern kam Georg **rechtzeitig** ins Büro, aber heute hat er sich _____.

10. Ich muß leider meinen **Termin** für morgen _____. Können Sie vielleicht einen neuen **Termin** für mich **machen**?

Nach dem Weg fragen

Entschuldigen Sie, wo ist die Theaterstraße?

Gibt es in der Nähe eine Bushaltestelle?

Wie weit ist es zum Flughafen?

Können Sie mir helfen? Ich habe mich verlaufen.

Ich suche die Gartenstraße.

Wissen Sie, wo der Merianplatz ist?

Wie kommt man von hier zur Post?

Ich muß zum Bahnhof. Wie komme ich dahin?

Gehen Sie immer geradeaus.

Direkt gegenüber von einem Supermarkt.

Mit dem Auto sind es ungefähr 20 Minuten von hier.

Fahren Sie an der nächsten Ampel rechts.

Die nächste links, und dann geradeaus.

Nehmen Sie die U-Bahn zum Opernplatz.

Tut mir leid, ich bin nicht von hier.

Vielleicht fragen Sie an der Tankstelle dort drüben.

Wo ist der nächste Taxistand?

Entschuldigung, sind Sie frei?

Bitte in die Kaiserstraße 109.

Das ist ...
– der Farbfilm
     Führerschein
     Fußgänger
     Kilometer
     Reifen
     Reisescheck
     Supermarkt
     Tank
     Wechselkurs

– die Ausfahrt
     Autobahn
     Bäckerei
     Einkaufspassage
     Fußgängerzone
     Konditorei
     Innenstadt
     Kreuzung
     Polizei
     Reinigung
     Tankstelle
     Tiefgarage
     Werkstatt

– das Benzin
     Formular
     Halteverbot
     Konto

Das sind ...
– die Einkäufe
     Lebensmittel

Waschen Sie Ihr Auto selbst?
– Nein, ich lasse es waschen.

Reinigt Paul seine Hose selbst?
– Nein, er läßt sie reinigen.

Haben Sie den Computer selbst repariert?
– Nein, ich habe ihn reparieren lassen.

Schrieben Sie diese Briefe selbst?
– Nein, ich ließ sie schreiben.

Wohin wollen Sie?
– Ich will ans Meer.

Kann Paul gut Deutsch?
– Ja, er kann gut Deutsch.

Sollen Sie zum Supermarkt?
– Ja, ich soll zum Supermarkt.

Wohin müßt ihr?
– Wir müssen nach Hause.

Ausdrücke:
Ich möchte gern ein Konto eröffnen.
Kann ich bitte Ihren Ausweis sehen?
Können Sie bitte hier unterschreiben?
Wieviel möchten Sie einzahlen?
Ich möchte 250 Dollar in bar wechseln.
Geht das?
Ja, sicher.
Ach, noch etwas:
Alles klar. Danke!
Günstige Preise!
Das ist ganz einfach!

KAPITEL

5

Photokina, AERO, Interstoff, CeBIT, IAA, Igedo – das sind nur einige Messen, die es jedes Jahr in vielen deutschen Städten gibt.

Für fast jeden Bereich der Industrie gibt es eine Messe, wo Firmen ihre Produkte ausstellen. Mit mehr als 400 Messen im Jahr, davon über 100 internationale Messen, steht Deutschland als Messeland an erster Stelle. Durch ihre verkehrsgünstige Lage sind deutsche Städte wie Frankfurt, Düsseldorf und Berlin ideale Standorte. Im Durchschnitt kommen über 40% der Aussteller[1] aus dem Ausland.

Die Hannover Messe, eine große Industriemesse, gibt es seit 1947. Jedes Jahr zeigen dort ungefähr 6500 Hersteller ihre Produkte. Vom modernen Dieselmotor bis zur Laser-Technologie kann man hier alles sehen. Wenn es neue Industrieprodukte gibt, auf der Hannover Messe kann sich der Besucher darüber informieren.

Eine andere bekannte[2] Messe ist die Frankfurter Buchmesse. Dort stellen jeden Oktober ungefähr 8000 Verlage[3] aus mehr als 90 Ländern ihre Bücher aus.

[1] *Aussteller = Firma, die etwas ausstellt*
[2] *bekannte Messe = jeder kennt diese Messe*
[3] *Verlag = Firma, die Bücher auf den Markt bringt (z. B. Langenscheidt)*

Messen haben den Vorteil, daß man sich dort neue Produkte von vielen Herstellern alle an einem Ort ansehen kann. Aber man unterhält sich auch gern mit Kollegen von anderen Firmen. Geschäftsfreunde, die sich oft schon seit Jahren kennen, treffen sich hier und sprechen über Neues aus Wirtschaft und Politik.

Normalerweise dürfen nur Hersteller, Aussteller und Einkäufer mit einem Ausweis zu den Messen. Aber es gibt auch Messen, die jeder besuchen darf, wie zum Beispiel die Möbelmesse [4] in Köln, die Tourismus-Börse in Berlin oder die Lederwarenmesse [5] in Offenbach.

[4] *Möbel = Stühle, Tische usw.*
[5] *Lederwaren = Produkte aus Leder*

ÜBUNG 27

1. Auf Messen _____.

    a. kann man sich informieren
    b. will man nur kaufen und verkaufen
    c. muß man mit vielen Firmen sprechen

2. Die meisten internationalen Messen _____.

    a. kann man im Ausland sehen
    b. findet man in Hannover
    c. gibt es in Deutschland

3. 40% der Firmen, die ihre Produkte auf Messen zeigen _____.

    a. sind ausländische Firmen
    b. stehen im Ausland an erster Stelle
    c. kommen jedes Jahr zur Hannover Messe

4. Viele deutsche Messestädte haben den Vorteil, daß _____.

    a. es für jeden Bereich Messen gibt
    b. sie besonders verkehrsgünstig liegen
    c. man über 400 Messen besuchen kann

5. Einige Messen darf man nur besuchen, wenn man _____.

    a. einen Herstellerausweis hat
    b. Verkäufer und Aussteller ist
    c. einen Ausweis hat

ÜBUNG 28

Beispiel: Ich habe mich mit einem Kollegen über den neuen Kunden __*unterhalten*__ .

      a) gesprochen   **b) unterhalten**   c) erzählt

1. Mit über 400 Messen im Jahr _____ Deutschland an erster Stelle.

      a) kommt   b) steht   c) stellt

2. Jochen hat letzte Woche einen Strafzettel bekommen, weil er an einem Stopschild nicht _____ hat.

      a) angehalten   b) beachtet   c) verfahren

3. Herr Lempert läßt sich von seinem Arzt Medikamente _____. Er hat sich stark erkältet.

      a) verschieben   b) verschreiben   c) unterschreiben

4. Hast du nicht gehört, daß der Umsatz der Firma im letzten Jahr um 20% _____ ist?

      a) gegangen   b) gemessen   c) gestiegen

5. Wenn wir am Samstag abend weggehen, wird sich meine Mutter um unsere Kinder _____.

      a) kümmern   b) beachten   c) unterhalten

6. Frau Huber ruft an und sagt, daß sie den Zug nach Zürich _____ hat.

      a) verspätet   b) abgefahren   c) verpaßt

7. In Frankfurt gibt es viele Messen, weil die Stadt verkehrsgünstig _____.

      a) legt   b) liegt   c) steht

8. Muß ich das Formular für die Kontoeröffnung jetzt gleich _____?

      a) aufnehmen   b) eröffnen   c) ausfüllen

DANACH • DAFÜR • DARÜBER

Personen	Objekte
Kurt Allert fragt nach seinem <u>Sohn</u>. → Er fragt **nach ihm**.	Der Kunde fragt nach dem <u>Preis</u>. → Er fragt **danach**.
Warten Sie auf Ihren Kollegen? → Ja, ich warte **auf ihn**.	Warten Sie auf Ihre Fotos? → Ja, ich warte **darauf**.
Ich spreche über dich und Ulla. → Ich spreche **über euch**.	Wir sprechen über die Messen. → Wir sprechen **darüber**.

ÜBUNG 29

Beispiele: Wer ist **für den Import** zuständig? *(Frau Schneider)*
Frau Schneider ist dafür zuständig.

Hast du lange **auf Rita** gewartet? *(ja)*
Ja, ich habe lange auf sie gewartet.

1. Wann werden Sie sich **um die Korrespondenz** kümmern? *(diese Woche)*

2. Ist die Firmenleitung **mit dem neuen Kollegen** zufrieden? *(nein)*

3. Spricht man auf Messen **über neue Produkte**? *(ja)*

4. Seit wann wohnt Burkhard **mit Karola** in Stuttgart? *(seit September)*

5. Hält Klaus viel **von seinem Chef**? *(nein)*

6. Hast du Lust **mit mir** in Urlaub zu fahren? *(ja)*

7. Wieviel hat das Unternehmen **für die Computer** bezahlt? *(8000 DM)*

8. Wann haben Sie dem Kollegen **von den Exportzahlen** erzählt? *(nie)*

WORTFAMILIEN

ÜBUNG 30

Beispiel: Ich **verspätete** mich auf dem Weg zum Flughafen. Gut, daß meine
Maschine nach Paris auch *Verspätung* hatte.

1. Du hast einen guten **Kauf** gemacht. Die Reifen, die ich letzte Woche _____
   habe, haben 30% mehr gekostet.

2. Ich muß noch _____. Der **Tank** meines Autos ist fast leer.

3. Herr Schwab **schenkte** seiner Frau immer Blumen zum Geburtstag, aber dieses
   Jahr bekommt sie Theaterkarten als _____.

4. „Hast du vergessen, deine Jacke _____ zu lassen?" – „Nein, ich habe sie
   gestern zur **Reinigung** gebracht."

5. Das Fotogeschäft hat Abzüge für 69 Pfennig das Stück **angeboten**. Dieses
   _____ gab es aber nur 3 Tage.

6. Die Personalleiterin braucht noch Ihre **Unterschrift** auf diesem Formular.
   Können Sie bitte hier _____?

7. Kannst du mich morgen um sieben Uhr **wecken**? Ich habe keinen _____.

8. Hubers **reisen** oft ins Ausland. Dieses Jahr werden sie eine _____ nach
   Spanien machen.

9. Letztes Wochenende _____ Rainer seinen Freund Werner in Lübeck. Es war
   sein erster **Besuch** in 2 Jahren.

10. Herr Krause, wir warten immer noch auf unsere **Bestellung**! Wir haben die
    Produkte vor einem Monat auf der Messe _____!

Die Firma TransEuropa sucht eine neue Assistentin für Herrn Schulte, dem die Marketingabteilung untersteht. Die Leiterin der Personalabteilung hat auch schon eine Anzeige in der Zeitung geschaltet. Martina Dahl, der man für Montag einen Termin gegeben hat, kommt um 10 Uhr zum Vorstellungsgespräch.

Frau Ewers:	Guten Morgen, Frau Dahl, mein Name ist Ewers, und das ist Herr Schulte, unser Marketingdirektor.
Herr Schulte:	Angenehm, Frau Dahl. Bitte nehmen Sie Platz.
Frau Dahl:	Vielen Dank!
Herr Schulte:	Ich habe hier Ihren Bewerbungsbrief. Darin schreiben Sie, daß Sie seit zwei Jahren bei der Firma Wiemer arbeiten. Können Sie mir etwas mehr über Ihre Arbeit dort sagen?
Frau Dahl:	Ja. Die Firma Wiemer ist eine kleine Werbeagentur. Ich arbeite als Sekretärin für den Firmendirektor. Ich nehme Diktate auf, ordne die Unterlagen meines Chefs, und wenn Kunden kommen, kümmere ich mich um sie.
Frau Ewers:	Und warum wollen Sie zu einer anderen Firma?
Frau Dahl:	Meine Arbeit gefällt mir gut, aber ich suche eine Stelle mit etwas mehr Verantwortung und möchte mehr Kontakt mit Kunden aus dem Ausland haben.

Herr Schulte:	Ah ja, ich sehe hier in Ihrem Lebenslauf, daß Sie auch Englisch sprechen.
Frau Dahl:	Ja. Als ich letztes Jahr in London war, habe ich dort einen Englischkurs für Sekretärinnen gemacht.
Herr Schulte:	Können Sie auch mit Computern arbeiten?
Frau Dahl:	Aber natürlich. Ich habe schon mit verschiedenen Programmen gearbeitet und kenne WordPerfect, Lotus und Excel.
Frau Ewers:	Also, Frau Dahl, wir bekommen viel Korrespondenz aus England und den USA. Die Person, die wir suchen, muß sich darum kümmern, und sie wird auch Herrn Schultes Besprechungen organisieren.

Die Personalleiterin erklärt Frau Dahl noch einige Details und beantwortet ein paar Fragen. Dann verabschiedet sie sich.

Frau Ewers:	Gut, Frau Dahl. Wir danken Ihnen, daß Sie vorbeigekommen sind. Wir werden Ihnen unsere Entscheidung in ein paar Tagen mitteilen.
Frau Dahl:	Vielen Dank! Auf Wiedersehen!

ÜBUNG 31

1. Um was für eine Stelle hat sich Frau Dahl beworben?

2. Warum hat Frau Dahl am Montag einen Termin?

3. Wer ist Herr Schulte?

4. Was für eine Firma ist die Firma Wiemer?

5. Was für eine Stelle hat Frau Dahl bei der Firma Wiemer?

6. Warum möchte sie eine andere Stelle?

7. Warum ist es wichtig, daß Frau Dahl Englisch spricht?

8. Wann wird sie wissen, ob sie die Stelle bekommen hat oder nicht?

Ich kenne den Herrn. Sie haben <u>ihm</u> zum Geburtstag gratuliert.
Ich kenne den Herrn, **dem** Sie zum Geburtstag gratuliert haben.

Dort ist Frau Krause, **der** ich von der Ausstellung erzählt habe.

Wo ist das Kind, **dem** Rolf sein Fahrrad geschenkt hat?

Die Freunde, **denen** wir geschrieben haben, wohnen in Polen.

ÜBUNG 32 – *Setzen Sie das richtige Pronomen ein!*

Beispiel: Wo ist der Kollege, ___**dem**___ ich von der Anzeige erzählt habe?

1. Herr Schulte sagt der neuen Verkaufsleiterin, _____ man diesen Auftrag gegeben hat, daß sie bis morgen fertig sein muß.

2. Hat der Gast, _____ Sie das Essen gebracht haben, schon die Rechnung bezahlt?

3. Sie kennen die Leute nicht, _____ wir vor einer Woche unser Haus verkauft haben.

4. Ich spreche mit dem japanischen Geschäftsmann, _____ Hubers Theaterkarten gegeben haben.

5. Die Firma Schröder, _____ wir vor einem Monat ein Angebot gemacht haben, hat noch nicht geantwortet.

6. Wie heißt die Kollegin, _____ ich gerade im Korridor begegnet bin?

7. Der Kunde, _____ Sie gestern meine Unterlagen gezeigt haben, wird Sie morgen anrufen.

8. Wir haben Freunde in Braunschweig, _____ wir jedes Jahr ein paar Flaschen Wein schenken.

ÜBUNG 33

Beispiele: Seit einem Jahr arbeitet Herr Schneider bei seiner Firma
im *__Verkauf__* . Früher arbeitete er in der Abteilung **Einkauf.**

Bevor ich mich abends *__hinlege__* , stelle ich den Wecker. Ich muß
jeden Morgen früh **aufstehen.**

1. Ich kann kein Geld von meinem Konto _____, weil ich letzten Monat nichts
eingezahlt habe.

2. Sonja hat den Brief, den sie gestern **gesucht** hat, heute morgen _____.

3. **Erinnerst** du dich noch an Rolfs Adresse? Ich habe sie leider wieder _____.

4. Als Herr Allert nach Hause kam, hat er zuerst seine Jacke **ausgezogen**, bevor er
seine Hausschuhe _____ hat.

5. Die Telefonkarte hat den _____, daß man überall telefonieren kann. Der
Nachteil ist, daß man sie auf der Post kaufen muß.

6. Die Exportzahlen der Autoindustrie sind letztes Jahr _____, aber dieses Jahr
werden sie wieder **steigen.**

7. Wir müssen die Koffer, die wir vor zwei Stunden **gepackt** haben, morgen im
Hotel wieder _____.

8. Mein Lieblingsrestaurant hat heute **geschlossen**. Weißt du, ob das griechische
Restaurant in der Luciusstraße _____ ist?

immer

> Ich nahm immer ein Taxi, **wenn** ich mich verspätete.
> **Wenn** ich nach Berlin muß, fahre ich mit dem Zug.
> Wir essen Pizza, **wenn** wir ins Venezia gehen.

nur einmal

> **Als** ich gestern in die Stadt fuhr, nahm ich den Bus.
> Herr Huber sieht seine Sekretärin, **als** er ins Büro kommt.

ÜBUNG 34

Beispiele: __Als__ wir Jochen letztes Jahr sahen, hatte er einen Bart.
Wir besuchen unsere Freunde, __wenn__ wir in Hamburg sind.

1. Man darf nicht mit dem Auto fahren, _____ man Alkohol getrunken hat.

2. _____ Wolfgang seinen Führerschein machte, gab es nur wenige Autobahnen.

3. Horst war sehr müde, _____ er gestern von der Arbeit kam.

4. Muß man immer seinen Ausweis mitbringen, _____ man ein Konto eröffnen will?

5. _____ Brigitte gestern aus dem Büro kam, wartete ihre Freundin schon im Auto auf sie.

6. Ich lese jeden Morgen die *Frankfurter Allgemeine*, _____ ich frühstücke.

7. Wen habt ihr nach dem Weg gefragt, _____ ihr euch gestern verlaufen habt?

8. Immer _____ wir Lüders zum Essen einladen, haben sie keine Zeit.

Das ist ...
– der Bereich
      Durchschnitt
      Lebenslauf
      Leiter
      Nachteil
      Standort
      Umsatz
      Verkauf
      Vorteil

– die Anzeige
      Bewerbung
      Entscheidung
      Industrie
      Korrespondenz
      Lage
      Messe
      Stelle
      Verantwortung
      Werbung
      Werbeagentur
      Wirtschaft

– das Diktat
      Produkt
      Unternehmen
      Vorstellungsgespräch

Das sind ...
– die Unterlagen

Fragen Sie nach dem Preis?
– Ja, ich frage danach.

Warten Sie auf ihre Fotos?
– Ja, ich warte darauf.

Sprechen Sie über die Messen?
– Ja, ich spreche darüber.

Wer ist das?
– Das ist der Mann, dem ich gratuliert
  habe.
– Das ist die Frau, der ich von der
  Ausstellung erzählt habe.
– Das ist das Mädchen, dem ich das
  Fahrrad geschenkt habe.
– Das sind die Freunde, denen wir
  geschrieben haben.

*Wie kommen Sie normalerweise nach
Berlin?*
– Wenn ich nach Berlin muß, fahre
  ich mit dem Zug.

Wie kamen Sie gestern in die Stadt?
– Als ich in die Stadt mußte, nahm ich
  den Bus.

Ausdrücke:
Deutschland steht als Messeland
  an erster Stelle.
Mein Name ist Ewers!
Angenehm!
Bitte nehmen Sie Platz.
Wir danken Ihnen, daß Sie
  vorbeigekommen sind.

KAPITEL

6

Marita Schöller sitzt in ihrem Büro. Sie sieht auf die Uhr: 8.50 Uhr. Sie wartet auf ihre Kollegin Elke Bartels. In 10 Minuten haben sie eine Besprechung mit einem wichtigen Kunden. Aber Elke ist immer noch nicht da. Plötzlich klingelt das Telefon.

Marita: Firma TransEuropa, Marita Schöller.

Elke: Marita, hier ist Elke …

Marita: Elke, wo bist du denn?! Es ist fast 9 Uhr!!

Elke: Ich bin im Verkehr steckengeblieben. Jetzt stehe ich in einer Telefonzelle in der Bockenheimer Straße. Ich mußte in der zweiten Reihe parken, um dich anzurufen.

Marita: Und wann kannst du hier sein? Die Besprechung fängt gleich an!

Elke: Keine Ahnung! So ein Stau kann lange dauern.

Marita: Gibt es keine Nebenstraßen, wo weniger Verkehr ist?

Elke: Alles ist total blockiert. Ich bin in der letzten halben Stunde nur ein paar Meter gefahren.

Marita: Was ist denn? Eine Baustelle?

Elke: Nein, aber ich habe gerade im Radio gehört, daß heute die Internationale Automobilmesse anfängt.

Marita: Ach ja, richtig. Das habe ich ganz vergessen. Und was machen wir jetzt? Der Kunde ist schon da, und in ein paar Minuten fängt die Besprechung an!

Elke: Ich habe eine Idee! Es gibt hier eine Tiefgarage. Da kann ich mein Auto parken. Und dann nehme ich die U-Bahn. In der Taunusstraße ist eine Haltestelle.

Marita: Stimmt! Das geht schneller. Wenn du nicht zu lange warten mußt, kannst du in 15 Minuten hier sein. Beeil dich!

Elke: Ich bin schon unterwegs.

ÜBUNG 35

1. Marita wartete auf ihre Kollegin, denn sie _____.
   a. wollten sich mit einem Kunden treffen
   b. konnten einen wichtigen Kunden besuchen
   c. mußten zu einer Besprechung mit ihrem Chef

2. Elke ruft an, weil sie _____.
   a. zu spät zu Hause weggefahren ist
   b. nicht pünktlich im Büro sein wird
   c. heute nicht zur Arbeit kommt

3. Elke _____.
   a. ist in einer Telefonzelle steckengeblieben
   b. hat lange in einem Stau gestanden
   c. ruft aus der zweiten Reihe an

4. _____ , und deshalb wird Elke zu spät kommen.
   a. Auf der Autobahn war eine Baustelle
   b. In den Nebenstraßen ist weniger Verkehr
   c. Heute sind viele Messebesucher in der Stadt

5. Elke hat eine Idee: _____
   a. Sie fährt mit der U-Bahn in eine Tiefgarage und parkt dort.
   b. Sie parkt in der Nähe und geht zur U-Bahnhaltestelle.
   c. Sie nimmt die U-Bahn und parkt in der Taunusstraße.

> Heute muß ich nach Wien fliegen.
> Letzte Woche **mußte** ich nach London fliegen.
>
> Gestern **wollten** wir ins Theater.
> Rolf **konnte** sich nicht mit Eva treffen.

ÜBUNG 36

Beispiel: Stefan __*konnte*__ seine Frau nicht anrufen, denn er war in einer wichtigen
Besprechung. *(können)*

1. Herr Seibold _____ am Samstag nicht nach Hause, weil er zu einem Termin mußte. *(können)*

2. Eberhard und Monika _____ den Eiffelturm sehen. *(wollen)*

3. Ich _____ den Kunden nicht mit Herrn Schiller verbinden, weil Herr Schiller nicht im Hause war. *(können)*

4. Herr Brehm _____ sich beeilen, denn die Apotheke macht um 18 Uhr zu. *(müssen)*

5. Weil ich kein Bargeld mitnehmen wollte, _____ ich gestern abend im Restaurant mit Kreditkarte bezahlen. *(müssen)*

6. _____ du mir nicht gestern sagen, daß heute das Museum geschlossen hat? *(können)*

7. Ich _____ mich letzten Sonntag mit Georg vor dem Kino treffen. *(wollen)*

8. _____ Sie nicht gestern länger im Büro bleiben? *(können)*

9. Gisela ist letzte Nacht bei ihrer Freundin geblieben, weil sie ihren Schlüssel nicht finden _____. *(können)*

10. Wir _____ zum ersten Mal mit der U-Bahn in die Stadt, denn unser Auto war in der Werkstatt. *(müssen)*

ÜBUNG 37

Beispiel: Frau Lange kümmert sich __um__ die französischen Besucher.
(um / über / an)

1. Weißt du, wie Herr Steiner _____ Vornamen heißt?
(vor / bei / mit)

2. Ich muß mich _____ Monika bedanken, denn sie hat mir eine
Geburtstagskarte geschickt. *(zu / bei / von)*

3. Es ist schon nach 10 Uhr. Habt ihr keinen Hunger _____ ein gutes
Frühstück? *(auf / nach / für)*

4. Wer ist in Ihrer Firma _____ die Produktwerbung zuständig?
(von / vor / für)

5. Wenn man sich verfährt, kann man einen Polizisten _____ dem Weg fragen.
(für / nach / zu)

6. Freut ihr euch _____ eure Ferien an der Ostsee?
(auf / zu / an)

7. _____ der Besprechung in Tokio konnte nicht jeder teilnehmen.
(in / an / mit)

8. Uwe kann sich nicht _____ die Straße erinnern, wo letzte Woche der Unfall
war. *(auf / an / von)*

9. Renate, was hältst du _____ unserer neuen Arbeitskollegin?
(über / um / von)

10. Bevor Margret nach Paris fährt, wird sie sich _____ die Stadt informieren.
(auf / von / über)

ÜBUNG 38

Waagerecht ➡

1. er, sie, ___
2. Meine Wohnung hat drei
   ___.
6. viele Farben
10. Auf dein Wohl!
11. Ein Arzt arbeitet dort.
14. Nachtisch
15. Dort darf man schnell fahren.
18. Getränk
19. nicht *gesund*
23. gibt *(Imperfekt)*
26. Dort gibt es viele Geschäfte.
28. Mit dem fahre ich oft.
29. Geburtstags___
31. kommt *(Imperfekt)*
32. nicht abfahren, sondern
   __kommen
33. deutscher Fluß
34. etw. unbedingt brauchen

Senkrecht ⬇

1. nicht *sie*
3. ___-schmerzen
4. ___, zwei, drei
5. nicht *hinter*
7. den Bus wechseln
8. treffen *(Imperfekt)*
9. Er verschreibt Medikamente.
12. nicht *neu*
13. lesen *(Imperfekt)*
16. Haarfarbe
17. Jens steht ___ der Tür.
19. Wer reist braucht einen ___.
20. Sprache, die Sie können
21. nicht *schnell*
22. nicht *Mutter*
24. dort schläft man
25. Wer krank ist, hat oft ___.
27. nicht *Urlaub*
30. Guten ___!

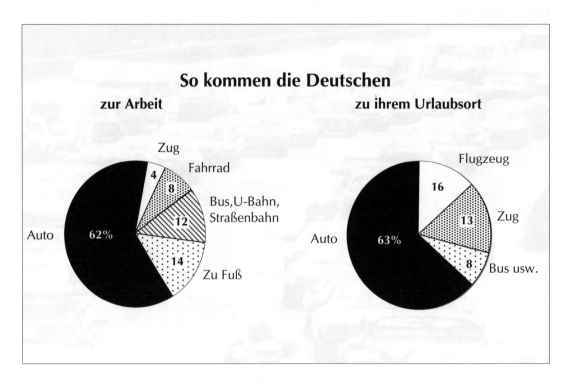

So kommen die Deutschen

zur Arbeit   zu ihrem Urlaubsort

Es gibt in Deutschland mehr und mehr Autos. 1995 waren es über 40 Millionen, mehr als doppelt[2] so viele wie 1970. Aber man hat in dieser Zeit nur 20% mehr Straßen gebaut. Das Schlimmste kommt aber noch: Man glaubt, daß der Personenverkehr bis zum Jahr 2010 noch um 30% steigen wird!

Die größten Verkehrsprobleme gibt es in den Städten. Überfüllte Straßen sind dort schon normal. Auf dem Weg zur Arbeit oder nach Hause, beim Ausflug am Wochenende oder an Feiertagen, überall steht man im Stau oder bleibt im Verkehr stecken!

Einige Lösungen hat man schon gefunden. Mit Fahrradwegen und Fußgängerzonen konnte man den Autoverkehr in den letzten Jahren, besonders in den Städten, reduzieren. Außerdem gibt es in vielen Gegenden ein besseres System der öffentlichen Verkehrsmittel[3]. Und man findet in vielen Vororten Park+Ride-Plätze, wo man sein Auto parken kann, um dann in einen Bus oder eine Straßenbahn umzusteigen. So kommt man oft am schnellsten in die Stadt.

[1] *viel zuviel = sehr viel*
[2] *doppelt = zweimal*
[3] *öffentliche Verkehrsmittel = U-Bahn, Bus usw.*

Nicht nur im Berufsverkehr sondern auch in der Urlaubszeit ist der Straßenverkehr ein Problem. Für viele Autofahrer fangen die Ferien mit kilometerlangen Staus auf den Autobahnen an. Aber auch hier gibt es eine Alternative: den Autoreisezug. Der Autofahrer kann seinen ersten Urlaubstag bei Kaffee und Kuchen im Zugabteil genießen, und sein Auto fährt auf einem Waggon[4] mit.

Zuerst machten nicht viele Leute von diesem Service der Bundesbahn Gebrauch[5]. In den letzten Jahren nehmen aber immer mehr Menschen[6] den Autoreisezug, wenn sie in Urlaub fahren.

[4] Waggon = Teil des Zuges
[5] von etw. Gebrauch machen = benutzen
[6] Menschen = Leute

ÜBUNG 39

1. Wie kommen die meisten Leute zur Arbeit?

2. Um wieviel % ist der Personenverkehr von 1970 bis 1995 gestiegen?

3. Wie wird die Verkehrssituation in ein paar Jahren sein?

4. Warum hat man in vielen Städten Fußgängerzonen gebaut?

5. Was ist das Park+Ride-System?

6. Muß man immer mit dem Auto zur Arbeit? Welche Alternativen gibt es?

7. Wie ist der Verkehr in der Urlaubszeit?

8. Was ist ein Autoreisezug?

Das ist ein teures Kleid.
→ Es ist das **teuerste** Kleid im Geschäft.

Jürgen ist sehr zuverlässig.
→ Aber Robert ist **am zuverlässigsten**.

Peters VW ist das **älteste** Auto in unserer Straße.
Wie heißt der **höchste** Berg Europas?
In Bayern hat mir das Bier **am besten** geschmeckt.

ÜBUNG 40

Beispiele: Herr Weigel ist ein **junger** Mitarbeiter.
Er ist _**der jüngste**_ Mitarbeiter in unserer Abteilung.

Kapitel 14 fand ich **schwierig**.
Aber _**am schwierigsten**_ fand ich Kapitel 17.

1. Der Februar ist ein **kurzer** Monat.
   Er ist _____ Monat im Jahr.

2. Die braunen Lederschuhe waren **billig**.
   Aber die schwarzen waren _____ Schuhe.

3. Berlin ist eine **große** Stadt.
   Berlin ist _____ Stadt Deutschlands.

4. Der Termin mit Frau Lambert ist auch **wichtig**!
   Aber _____ ist der Termin mit Herrn Schäfer.

5. Ist Luxemburg ein **kleines** Land?
   Ja, Luxemburg ist _____ Land der EU[1].

6. Die Concorde ist ein **schnelles** Flugzeug.
   Sie fliegt _____ von Europa nach Amerika.

[1] *EU = Europäische Union*

KONJUNKTIONEN

ÜBUNG 41

Beispiel: __*Nachdem*__ wir im Kino waren, sind wir gemeinsam in meine Lieblingskneipe gegangen.

1. Hast du bei deiner alten Firma _____ gearbeitet _____ bei deiner neuen?

2. Annette hört sich in ihrer Freizeit _____ klassische Konzerte _____ sehr gern Jazz an.

3. Ich muß morgen in die Werkstatt, _____ die Reifen meines Autos wechseln _____ lassen.

4. Brot bekommt man nicht in der Konditorei, _____ in der Bäckerei oder im Supermarkt.

5. _____ es Geldautomaten gab, konnte man Bargeld nur an der Kasse einer Bank bekommen.

6. Kannst du auch meinen Film zum Entwickeln bringen, _____ du ins Fotogeschäft gehst?

7. Ich brauche einen Stadtplan, _____ ich will nach Paris und kenne die Stadt nicht besonders gut.

8. _____ wir Rudolf vor zwei Jahren kennenlernten, war er noch nicht verheiratet.

> soviel ... wie
>
> ➤ **nachdem**
>
> nicht nur ... sondern auch
>
> denn
>
> um ... zu
>
> sondern
>
> bevor
>
> als
>
> wenn

ÜBUNG 42

Beispiel: Der Firmenchef und der Verkaufsleiter sind in einer **Besprechung**. Sie werden auch die Verluste des letzten Jahres   *besprechen* .

1.   Letzten Monat bin ich von Dresden nach Berlin _____. Der **Flug** dauerte eine Stunde.

2.   Warum hast du Anke noch nicht _____? Sie wartet schon seit 9 Uhr auf deinen **Anruf**.

3.   Laura **spricht** Deutsch, Spanisch und Japanisch. Wie viele _____ können Sie?

4.   Auf der Auto**ausstellung** sah man nicht nur deutsche Autos. Firmen aus vielen Ländern haben dort ihre Autos _____.

5.   Frau Nolte _____ die Werbeabteilung nicht mehr. Weißt du, wie die neue **Leiterin** heißt?

6.   Ich muß mein teures Seidenkleid **reinigen** lassen. Kennst du eine zuverlässige _____?

7.   **Trinkst** du gern nach Feierabend ein Bier? Klar, Bier ist mein Lieblings_____.

8.   Hast du schon _____ , Birgit? Ja, im Flugzeug gab es **Frühstück**.

KAPITEL 6 – ZUSAMMENFASSUNG

Das ist …
– der Feiertag
    Stau

– die Alternative
    Baustelle
    Lösung
    Nebenstraße
    Telefonzelle

– das Zugabteil

Das sind …
– die Menschen
    Ferien

Wohin mußten Sie fliegen?
– Ich mußte nach London fliegen.

Wann wolltet ihr ins Theater?
– Wir wollten gestern ins Theater.

Konnte sich Rolf mit Eva treffen?
– Nein, er konnte sich nicht mit ihr
    treffen.

Das ist …
– der höchste Berg Europas.
    die größte Stadt Deutschlands.
    das älteste Auto in unserer Straße.

Ist Jürgen zuverlässig?
– Ja, aber Robert ist am
    zuverlässigsten.

Wo schmeckt das Bier am besten?
– In Bayern schmeckt das Bier am
    besten.

Warum wartet Marita auf ihre
Kollegin?
– Sie wartet auf sie, denn sie müssen
    zu einer Besprechung.

Hört sich Annette nur klassische
Musik an?
– Nein, sie hört sich nicht nur
    klassische Musik an, sondern auch
    Jazz.

Mußt du bei deiner neuen Firma viel
arbeiten?
– Ich arbeite bei meiner neuen Firma
    soviel wie bei meiner alten.

Wie viele Bücher hat Peter?
– Er hat so viele Bücher wie ich.

Ausdrücke:
Was ist denn?
Wann kannst du hier sein?
Keine Ahnung!
Alles ist total blockiert!
Viel zuviel Verkehr!
Ich habe eine Idee!
Beeil dich!
Ich bin schon unterwegs!

KAPITEL

7

Anita Bauer und Rolf Wagner haben für Sonntag ein paar Freunde zu einem Picknick eingeladen. Sie wollen gemeinsam aufs Land fahren und haben während der letzten Tage schon alles organisiert. Es ist Sonntag morgen, 8 Uhr, als Rolf bei Anita anruft.

Anita: Bauer.

Rolf: Ich bin's, Rolf. Hast du heute morgen schon aus dem Fenster gesehen?

Anita: Ja, ja, ich weiß. Es regnet in Strömen!

Rolf: Und was machen wir jetzt? Bei so einem Regen kommt ein Picknick nicht in Frage! Und wir können wegen des Wetters nicht einfach absagen. Wir haben ja schon die Leute eingeladen und das Essen eingekauft.

Anita: Na ja, das Picknick ist heute nachmittag. Das Wetter ändert sich bestimmt noch. Ich habe gerade die Wettervorhersage im Radio gehört. Gegen Mittag soll es aufhören zu regnen.

Rolf: Wie du weißt, kann man sich auf den Wetterbericht nicht verlassen. Vor ein paar Tagen hieß es im Fernsehen, daß wir heute das schönste Wetter haben werden. Und trotzdem haben wir jetzt nur graue Wolken am Himmel!

Anita: Keine Panik! Du wirst sehen, in ein paar Stunden wird die Sonne scheinen!

Rolf: Und wenn nicht?

Anita: Dann rufen wir die anderen an und treffen uns bei mir. Ich habe ja eine große Wohnung.

Rolf: Ich weiß nicht, ein Picknick in einer Wohnung ...?

Anita: Warum nicht? Das ist immer noch die einfachste Lösung.

Rolf: Na gut, warten wir noch etwas. Ach...! Sieh doch mal aus dem Fenster: Ich glaube, es wird schon heller, und es regnet nicht mehr so schlimm!

ÜBUNG 43

1. Was haben Anita und Rolf am Sonntag vor?

2. Wie ist das Wetter, als Rolf Anita anruft?

3. Warum sagen Sie das Picknick nicht ab?

4. Woher weiß Anita, wie das Wetter werden wird?

5. Und wie wird das Wetter heute mittag?

6. Was werden Rolf und Anita tun, wenn das Wetter nicht besser wird?

> Die Sonne geht um 5 Uhr auf. Um 6 Uhr ist es hell.
> → Zwischen 5 Uhr und 6 Uhr **wird** es **hell**.
>
> Wenn ich viel arbeite, **werde** ich schnell **müde**.
> Morgen **wird** das Wetter **herrlich**.
> Wann **sind** Sie Verkaufsleiter **geworden**?

ÜBUNG 44

Beispiele: Peter __*wird*__ unser neuer __*Nachbar*__ . Er wird die Wohnung unter uns kaufen. *(Nachbar werden)*

Es __*ist*__ in den letzten Tagen sehr __*kalt geworden*__ . *(kalt werden)*

1. Du _____ aber _____ , seit ich dich das letzte Mal gesehen habe. *(groß werden)*

2. Das Benzin _____ im letzten Jahr wieder _____. *(teurer werden)*

3. _____ du pünktlich nächste Woche mit deinem Werbeauftrag _____? *(fertig werden)*

4. J. F. Kennedy _____ 1961 _____. *(Präsident werden)*

5. Wann _____ Herr Börner _____? Dieses Jahr oder erst nächstes Jahr? *(Firmenchef werden)*

6. Gestern regnete es, und weil wir keinen Regenschirm hatten, _____ wir von oben bis unten _____. *(naß werden)*

7. Frau Sandmann _____ nächsten Monat unsere neue _____. *(Vorgesetzte werden)*

8. Es tut mir leid, daß ich mich heute morgen verspätet habe, aber es _____ gestern abend _____. *(spät werden)*

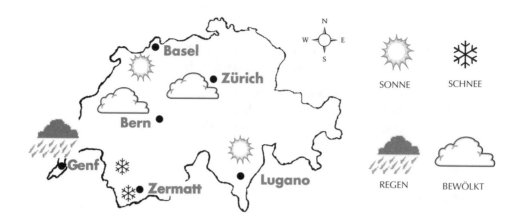

ÜBUNG 45

A. 1. Wo wird es schneien?

2. Wie wird das Wetter im Westen sein?

3. In Zürich ist es bewölkt. Und wo noch?

4. Wie ist das Wetter in Basel?

Samstag	Sonntag	Montag	Dienstag
0° C	-1° C	2° C	3° C

B. **Die Wettervorhersage für die nächsten Tage:**

Am Wochenende bleibt das **Wetter** kalt. Es wird frieren, mit

_____ von ungefähr 0° C. Am Sonntag wird die Temperatur

_____ fallen, aber wir werden auch ein bißchen _____

sehen. Montag und Dienstag wird es wieder _____ sein,

und es wird anfangen zu _____. In der Genfer Gegend

wird der _____ nicht vor Donnerstag aufhören.

bewölkt
Sonne
Temperaturen
Regen
regnen
Wetter
unter Null

WÄHREND • TROTZ • WEGEN

> **Während des Flugs** darf man nicht rauchen.
> Sind Sie **trotz des** stark<u>en</u> **Regens** mit dem Fahrrad gefahren?
> **Wegen einer** großen **Baustelle** bleiben wir im Stau stecken.
>
> **Trotz der** vielen **Fußgänger** gibt es hier keine Ampel!

ÜBUNG 46

Beispiel: Heute ist **ein Feiertag**. Ich kann kein Konto eröffnen.
**Wegen eines Feiertags** sind alle Banken geschlossen.

1. Weil **die Besprechung** so lange dauert, muß die Sekretärin ihren Termin verschieben. _____ braucht sie jetzt einen neuen Termin.

2. Frau Bauer geht zu **einem Konzert**. _____ sieht sie eine frühere Kollegin.

3. Es ist sehr **viel Verkehr**. Man findet keinen Parkplatz. _____ nimmt man besser die U-Bahn.

4. Reinhard hat **eine Erkältung**. Aber _____ kommt er mit zum Schwimmen.

5. Die Wettervorhersage für **das Picknick** am Samstag war gut. Aber trotzdem fing es _____ an zu regnen.

6. Ich bin immer **den Verkehrsschildern** gefolgt und konnte den Flughafen nicht finden. _____ habe ich mich verfahren.

7. Die Firma macht **gute Umsätze**. Wird man _____ neue Mitarbeiter einstellen?

8. Michael hat **eine neue Stelle** in der Stadt. Aber _____ will er sich in der Stadt keine Wohnung mieten.

DIE OLYMPISCHEN SPIELE

Die größte internationale Sportveranstaltung sind die Olympischen Spiele. Alle vier Jahre treffen sich die besten Sportler und Sportlerinnen aus vielen Ländern, um daran teilzunehmen. 14 Tage kämpfen sie dann um Medaillen, fast immer in einem anderen Land und einer anderen Stadt.

Die ersten Olympischen Spiele gab es schon vor mehr als 2700 Jahren in der Stadt Olympia in Griechenland. Sie dauerten einen Tag, und nur Griechen durften teilnehmen. Irgendwann konnten auch andere Länder ihre Sportler zu den Spielen schicken, und sie dauerten dann auch nicht mehr einen Tag, sondern fünf. Aber im Jahre 393 hat man die Spiele als unchristlich[1] verboten.

Fast genau 1500 Jahre später, im Jahre 1894, fing der Franzose Pierre de Coubertin an, die Spiele wieder zu organisieren. 1896 gab es die erste Olympiade[2] der Neuzeit in Athen, und 9 Länder nahmen daran teil.

Von den ersten Spielen bis heute hat sich viel verändert. Es gibt nicht nur Sommer-, sondern auch Winterspiele, es dürfen Profis[3] teilnehmen, und man sieht immer neue Sportarten.

[1] *unchristlich = nicht christlich*
[2] *Olympiade = Olympische Spiele*
[3] *(Sport)Profi = jemand, der als Sportler sein Geld verdient (≠Amateur)*

Überall sind die Menschen von den Olympischen Spielen begeistert. Und durch die Satellitentechnik ist es heute möglich, daß sie am Fernseher live dabei sein können, wenn irgendwo auf der Welt die Sportler ihres Landes Medaillen gewinnen.

Olympische Sommerspiele

1896	Athen	Griechenland	1956	Melbourne	Australien
1900	Paris	Frankreich	1960	Rom	Italien
1904	St. Louis	USA	1964	Tokio	Japan
1908	London	Großbritannien	1968	Mexiko City	Mexiko
1912	Stockholm	Schweden	1972	München	Deutschland
1920	Anvers	Belgien	1976	Montreal	Kanada
1924	Paris	Frankreich	1980	Moskau	Sowjetunion
1928	Amsterdam	Niederlande	1984	Los Angeles	USA
1932	Los Angeles	USA	1988	Seoul	Süd-Korea
1936	Berlin	Deutschland	1992	Barcelona	Spanien
1948	London	Großbritannien	1996	Atlanta	USA
1952	Helsinki	Finnland	2000	Sydney	Australien

ÜBUNG 47

1. Worum kämpfen Sportler bei der Olympiade?

2. Wie viele Jahre dauerte es, bis jemand die Spiele wieder organisierte?

3. Wer nahm an der ersten Olympiade im alten Griechenland teil?

4. Warum gab es 1500 Jahre lang diese internationale Sportveranstaltung nicht mehr?

5. Wie oft gibt es heute die Olympischen Sommerspiele?

Ich weiß nicht, <u>was</u> ich kaufen soll. Ich kaufe **irgendwas**.
<u>wen</u> ich fragen kann. frage **irgendwen**.
<u>wann</u> ich komme. komme **irgendwann**.

Ich sehe nicht das Meisterschaftsspiel, ich sehe **irgendein** Spiel.
Hast du **irgendwem** meinen Regenschirm gegeben?
Irgendjemand hat mir gestern dein Bild gezeigt.

Achtung!

Kann man hier **irgendwo** Ski laufen?
Nein, hier kann man **nirgendwo** Ski laufen.

ÜBUNG 48

Beispiel: Wo ist meine Sonnenbrille? Hast du sie __*irgendwo*__ gesehen?

1. Heute abend habe ich nichts vor. Laß uns doch _____ zusammen etwas essen.

2. Interessieren Sie sich auch für Tennis? Wir können _____ zusammen zu einem Spiel gehen.

3. Ich fahre nie wieder mit dem Auto am Samstag in die Innenstadt. Man kann _____ parken!

4. Wechseln Sie diese Woche noch kein Geld! _____ hat mir gesagt, daß die D-Mark steigen soll.

5. Ich habe Hunger. Hast du _____ zu essen im Haus?

6. In _____ Zeitschrift stand, daß der nächste Winter sehr kalt wird.

ÜBUNG 49

Beispiel: – Wie wird das Wetter morgen?
  – ***Es wird wieder warm.***

1. – Werdet ihr eure Party wegen des Wetters absagen?

2. – Edith und ich gehen in die neue Diskothek.

3. – Letzten Sonntag hat unsere Mannschaft 3:1 gewonnen.

4. – Ich möchte gern Herrn Huber sprechen.

5. – Gehst du morgen ins Stadion?

6. – Ich habe eine richtige Erkältung.

7. – Nett dich kennenzulernen, Olaf.

8. – Willst du nicht zu meiner Geburtstagsfeier kommen?

9. – Ich kann leider nicht mit in die Oper gehen.

10. – Wir treffen uns um 5 bei dir.

– Worum handelt es sich denn?

– Mir geht es auch nicht so besonders.

– Ganz meinerseits.

– Herzlichen Glückwunsch.

– Das ist aber schade.

➤ **– Es wird wieder warm.**

– Gern. Danke für die Einladung!

– Amüsiert euch gut!

– Alles klar! Bis dann.

– Kommt nicht in Frage!

– Aber nur, wenn es nicht regnet.

REDEWENDUNGEN

ÜBUNG 50

Beispiel: Viele Urlauber __*machen*__ von den Sommerangeboten der
Bundesbahn Gebrauch.

      a) geben   **b) machen**   c) nehmen

1. Hat Herr Meisert auch genug Erfahrung, um wichtige Entscheidungen zu
    _____?

          a) schalten   b) treffen   c) leiten

2. Tut mir leid, Frau Hansen ist nicht im Hause. Wollen Sie eine Nachricht
    für sie _____?

          a) geben   b) verlassen   c) hinterlassen

3. Werners Arzt hat ihm ein Medikament für seine Erkältung _____.

          a) verschrieben   b) verkauft   c) vergeben

4. Immer _____ ich im Verkehr stecken, wenn ich ins Stadion fahre, um
    mir ein Spiel anzusehen!

          a) stehe   b) warte   c) bleibe

5. Eine verkehrsgünstige Lage _____ für mich an erster Stelle, wenn ich
    eine Wohnung suche.

          a) steht   b) liegt   c) braucht

6. _____ Sie auch nur am Wochenende Sport?

          a) treiben   b) spielen   c) machen

7. Andrea will sich um eine Stelle bei einer japanischen Firma _____.

          a) suchen   b) bewerben   c) bekommen

8. Es _____ nicht so aus, als ob eure Mannschaft eine Medaille gewinnen
    wird.

          a) geht   b) macht   c) sieht

Das ist …
- der Regen
    Regenschirm
    Schnee
    Sieger
    Sommer
    Spielplatz
    Sportler
    Verlierer
    Westen
    Winter
    Zuschauer

- die Mannschaft
    Medaille
    Meisterschaft
    Sonne
    Sportart
    Temperatur
    Veranstaltung
    Vorhersage
    Wolke

- das Spiel
    Wetter

Trinkst du viel Wein?
– Nein, da werde ich schnell müde.

Wie geht es Herrn Schröder?
– Gut. Er ist Verkaufsleiter geworden.

Wie ist die Wettervorhersage?
– Morgen wird das Wetter herrlich.

Wie ist das Wetter bei Ihnen?
– Es ist sehr kalt geworden.

Darf man im Flugzeug rauchen?
– Während des Flugs darf man nicht
    rauchen.

Fährst du bei dem Wetter mit dem Rad?
– Trotz des starken Regens fahre ich
    mit dem Rad.

Warum kommen Sie so spät?
– Wegen einer großen Baustelle sind
    wir im Stau steckengeblieben.

Gibt es hier keine Ampel?
– Nein, trotz der vielen Fußgänger
    gibt es hier keine Ampel!

Was tun Sie?
– Ich kaufe irgendwas.

Wen frage ich?
– Sie fragen irgendwen.

Wann kommt er?
– Er kommt irgendwann.

Wo sollen wir parken?
– Parken Sie irgendwo.

Kann man hier irgendwo Ski laufen?
– Hier kann man nirgendwo Ski
    laufen.

Ausdrücke:
Wie wird das Wetter morgen?
Was für ein Wetter!
Es regnet in Strömen!
Das Wetter ändert sich bestimmt
    noch!
Kommt nicht in Frage!
Wie du weißt, …
Ich weiß!
Im Fernsehen hieß es, …
Und wenn nicht?
Keine Panik!

KAPITEL

8

1¹/₂-und 2-Zimmer-Wohnungen

F-Oberrad, ca. 68 m², 2 Zi., Blk., sofort, 1250,- + Nebenkosten ☎ 069/289022

Ffm-Sachsenhausen, 1¹/₂-Zi. Whg., möbliert, Blk., DM 1190,- + NK. ☎ **069/398720**

2-ZW Ffm.-City, möbliert, S-/U-Bahn, sof. frei, 1390,-/N.**Stadt-Immobilien** ☎ **06108/715121**

2-ZW, 53 m², Ffm-Höchst, schöne L., 900,- warm, zum 1.6. ☎ ab 20 Uhr 069/219137

Ffm.-Griesheim, 2-ZW, Kü., Bad, 55 m², 1100,- + NK. Sander Immobilien ☎ 069/444034

Frankfurt-Westend, Schöne 2-ZW mit Küche und Bad, 65m², ab sofort, DM 1500,- +Nebenkosten ☎ **069/752583**

Bockenh., 2-ZW, Balkon   **1350+N.**
Kronberg, 1¹/₂ Zi., 60m²   **2050+N.**
VOGT IMMOBILIEN, ☎ 069/288209

2-ZW, Kü., Bad., ca. 65 m², Blk., sof. frei, 1200,- kalt ☎ 06023/3254

Der Kanadier Paul Fraser sucht seit einiger Zeit eine Wohnung in Frankfurt. Aber er hat noch keine Wohnung gefunden, von der er wirklich begeistert ist. Entweder ist sie zu klein oder zu teuer oder zu weit außerhalb. Jetzt geht er wieder den Anzeigenteil der Frankfurter Rundschau durch. Paul sieht eine Wohnung, für die er sich interessiert und ruft den Vermieter an.

> *Vermieter:* Horst Köbel, guten Tag!

> *Paul:* Guten Tag, mein Name ist Paul Fraser. Sie haben eine Anzeige in der Zeitung. Ist die Wohnung noch frei?

> *Vermieter:* Es tut mir leid, aber die Wohnung ist schon weg. Wir haben sie vor einer Stunde vermietet.

> *Paul:* Schade, aber da kann man nichts machen. Vielen Dank, Herr Köbel!

Das war wirklich Pech! Aber es gibt ja noch mehr Wohnungen. Hier: 2-Zimmer-Wohnung mit Küche und Bad im Frankfurter Westend. Paul wählt die Nummer.

> *Vermieterin:* Albrecht.

> *Paul:* Paul Fraser, guten Tag! Ich habe Ihre Anzeige in der Zeitung gelesen. Ist die Wohnung schon vermietet?

Vermieterin: Nein. Aber ich habe sie schon einigen Leuten gezeigt.

Paul: Sagen Sie, wie hoch ist denn die Miete?

Vermieterin: 1500 DM im Monat kalt.

Paul: Und die Nebenkosten?

Vermieterin: Für Strom und Heizung müssen Sie mit ungefähr 200 DM rechnen. Möchten Sie sich die Wohnung ansehen?

Paul: Ja, ich bin sehr interessiert. Wann paßt es Ihnen denn am besten?

Vermieterin: Sagen wir heute abend um halb 7?

Paul: Das geht. Und wie ist die Adresse?

Vermieterin: Ulmenstraße 8. Wissen Sie, wo das ist?

Paul: Ja, so ungefähr. Gibt es eine U-Bahn, mit der man leicht dahin kommt?

Vermieterin: Nehmen Sie die Linie 6, und steigen Sie an der Haltestelle Westend aus. Die nächste Straße rechts ist die Ulmenstraße. Nach 100 Metern sehen Sie das Haus auf der linken Seite. Klingeln Sie bei Gottschalk.

Paul: Gut. Das werde ich schon finden. Auf Wiederhören!

ÜBUNG 51

1. Wie sucht Paul Fraser nach einer Wohnung?

2. Wonach fragt er, wenn er die Vermieter anruft?

3. Warum sieht sich Paul die Wohnung, für die er sich zuerst interessiert, nicht an?

4. Was muß der Mieter der Wohnung im Westend bezahlen?

5. Was sind Nebenkosten?

PETRA SUCHT EINE WOHNUNG

ÜBUNG 52

Vor drei Wochen hat Petra eine Stelle bei einer Firma in
München bekommen. Sie hat bis jetzt keine **_Wohnung_**
gefunden und wohnt im Moment noch in einem _____
Zimmer, das sie für einen Monat _____ hat. Petra möchte
lieber etwas_____ wohnen, denn in der Stadt sind die
_____ oft doppelt so hoch wie in einem Vorort.

Als sie am Wochenende die _____ in der Zeitung
durchgeht, sieht sie eine 2-Zimmer-Wohnung mit _____
am _____ von München, die nur 800 DM _____
kostet. Sie ruft gleich den _____ an. Die Wohnung ist
noch _____ , und der Besitzer, mit dem Petra am Telefon
spricht, gibt ihr die Informationen, die sie haben möchte.

Er sagt ihr, wie _____ die _____ sind und daß Petra
mit _____ 200 DM _____ Monat _____ muß.
Die Wohnung hat keine besonders große _____ , aber sie
hat eine schöne _____ mit wenig Verkehr. Sie
_____ auch nicht weit von einer Bushaltestelle, und es
gibt ein kleines Einkaufszentrum in der Nähe.

Nachdem sich Petra mit dem Vermieter _____ hat und
sich die Wohnung angesehen hat, möchte sie am liebsten
heute noch den _____ unterschreiben. Aber es gibt noch
ein paar andere Leute, die sich für die Wohnung _____.

Anzeigen
außerhalb
Balkon
frei
gemietet
getroffen
hoch
im
interessieren
kalt
Küche
Lage
liegt
Mieten
Mietvertrag
mindestens
möblierten
Nebenkosten
Ortsrand
rechnen
Vermieter
Wohnung

> Das Büro, **in dem** Stefanie arbeitet, liegt an einer schönen Straße.
> Wo ist die Wohnungsanzeige, **von der** du erzählt hast?
> Der Mann, **von dem** wir das Haus gemietet haben, heißt Ulfers.
>
> Die Kunden, **mit denen** ich essen gehen will, sind aus Korea.

ÜBUNG 53

Beispiel: Die **Konferenz** hat fünf Tage gedauert. Mehr als 100 Personen haben daran teilgenommen.
Die Konferenz, an der mehr als 100 Personen teilgenommen haben, hat fünf Tage gedauert.

1. Mein alter **Freund** wird nicht zu meiner Geburtstagsfeier kommen. Ich bin mit ihm in Berlin zur Schule gegangen.

2. Wird **Herr Lauterbach** seine Stelle verlieren? Du hast fünf Jahre mit ihm zusammengearbeitet.

3. Die **Firma Schneider** hat eine Anzeige in der Zeitung geschaltet. Christian hat sich bei ihr beworben.

4. Der **Vermieter** hat immer noch nicht angerufen. Wir haben gestern mit ihm gesprochen.

5. Günter hat die **Dürer-Ausstellung** gestern besucht. Wir waren von ihr begeistert.

6. Der **Arzt** hat letzten Monat seine Praxis geschlossen. Ihr seid viele Jahre zu ihm gegangen.

7. Hier sind die **Unterlagen**. Sie haben heute morgen danach gefragt.

8. Marianne wird sich mit einer **Kollegin** in Paris treffen. Sie hat von ihr eine Einladung bekommen.

ÜBUNG 54

Beispiele: Frau Jäger möchte ihren 50. **Geburtstag feiern**.
Sie plant eine _**Geburtstagsfeier**_ für über 40 Gäste.

In der Anzeige stand 2-**Zimmer**-Wohnung mit Küche und **Bad**.
Hat das _**Badezimmer**_ auch eine Dusche?

1. „**Leitet** Frau Seifert die Personal**abteilung**?" „Nein, die _____ ist Frau Hansen."

2. Wir werden die Wohnung in der Händelstraße **mieten**. Der Vermieter hat uns den **Vertrag** schon gegeben. Wir werden ihm den unterschriebenen _____ mit der Post schicken.

3. „Hast du alle **Unterlagen**, um dich bei der TransEuropa zu **bewerben**?" „Noch nicht. Wenn ich alle _____ zusammen habe, schicke ich sie sofort an die Firma."

4. **Fußball** ist in Deutschland sehr beliebt. Auch ich habe früher viel Fußball **gespielt** und gehe noch heute oft zum _____.

5. Herr Wagner **besitzt** viele **Häuser** in unserer Stadt. Außer ihm haben wir noch andere _____ angerufen, weil wir eine Wohnung suchen.

6. Frau Köbel muß **geschäftlich** oft ins Ausland **reisen**. Sie bringt ihren Kindern immer etwas von ihren _____ mit.

7. Vera hat sich am Montag **vorgestellt** und mit dem Abteilungsleiter ge**sprochen**. Das_____ war um 9 Uhr in seinem Büro.

8. Rainer hat **beruflich** zwei Jahre in Afrika gearbeitet und dort wichtige **Erfahrungen** gesammelt. Diese _____ kann er jetzt für seine neue Stelle gut brauchen.

DIE STÄDTE VON MORGEN

Können Sie sich ein 2000 Meter hohes Gebäude mit 500 Stockwerken vorstellen? Unmöglich, sagen Sie? Aber das sagten auch die Menschen früher über den 1889 erbauten Eiffelturm in Paris. Und der ist nur 300 Meter hoch! Über den zweimal so hohen CN Tower in Toronto, Kanada, staunte man 1975 schon weniger.

Weil immer mehr Leute in den Städten leben und arbeiten wollen, baut man schon seit Jahren Hochhäuser, immer höher und mit immer mehr Stockwerken. Aber in den Hochhäusern von morgen wird es nicht nur Büros und Wohnungen geben. Es werden Städte sein mit Schulen, Parks, Geschäften, usw.

Interessante Ideen kommen aus Japan. Ein geplantes Bauwerk der Firma Takenaka wird 14 „Stockwerke" haben, jedes Stockwerk eine kleine 70 Meter hohe Stadt mit eigenem Transportsystem, Wasserversorgung[1], Büros, Geschäften, Schulen und einem Park. Sky City wird 10 000 Wohnungen haben, und 130 000 Menschen werden dort arbeiten.

Ein anderes, noch größeres japanisches Projekt ist Vulkanstadt, eine von Menschen gebaute Insel im Meer: 6,5 km im Durchmesser, 4000 Meter hoch, mit eigener Energieversorgung und einem Erholungszentrum[2]. Bevölkerungszahl: 700 000.

[1] *Wasser/Energieversorgung = Wasser / Energie für eine Stadt oder ein Gebäude*
[2] *Erholungszentrum = dort erholen sich Leute*

Mit den Plänen für Phoenix World City in den USA ist man der Stadt von morgen schon etwas näher gekommen. Sie wird aussehen wie ein riesiges Luxusschiff, eine „schwimmende" Stadt, mit Apartmenthäusern, einem Konferenzzentrum und einem kleinen Hafen. Sie wird 1998 fertig sein, und 5000 Menschen werden dort leben.

Auch in Deutschland gibt es schon Pläne für das Wohnen auf dem Wasser. Das Marotel ist ein schwimmendes Hotel mit 160 Zimmern, das man ohne große Arbeiten in kurzer Zeit auch als Konferenzzentrum oder Krankenhaus benutzen kann.

Ist das nicht alles fantastisch? Und was kommt dann als nächstes? Vielleicht der Städtebau auf anderen Planeten, so wie in einem Science-fiction-Film?

ÜBUNG 55

1. Dieser Text ist über _____.

    a) Bauwerke in Japan
    b) Hochhäuser im Meer
    c) Bauprojekte von morgen

2. Man baut schon lange Hochhäuser, weil _____.

    a) es in der Stadt viele Menschen gibt
    b) man dort besser arbeiten und leben kann
    c) immer mehr Leute auf dem Land arbeiten

3. Die Takenaka Corporation _____.

    a) plant 14 Kleinstädte, alle in einem riesigen Hochhaus
    b) beschäftigt 130 000 Menschen, die dort leben und arbeiten
    c) hat ein Bauwerk mit 10 000 Geschäften und Schulen geplant

4. Die 4000 Meter hohe Vulkanstadt _____.

    a) ist ein japanisches Bauprojekt
    b) hat eine Insel für 700 000 Leute
    c) wird nur 6 km Durchmesser haben

5. Nachdem Phoenix World City gebaut ist, _____.

    a) ist es eine schwimmende Stadt mit einem Krankenhaus
    b) hat es einen Hafen mit einem Luxusschiff
    c) können dort 5000 Menschen wohnen

> Paul hat eine Wohnung **gemietet**.
> → Die **gemietete** Wohnung hat auch einen Balkon.
>
> 1889 hat man den Eiffelturm **erbaut**.
> → Der 1889 **erbaute** Eiffelturm ist 274 Meter hoch.

ÜBUNG 56

Beispiel: Das Fenster in meinem Büro ist den ganzen Tag **geöffnet**.
Ich sitze den ganzen Tag am ___**geöffneten**___ Fenster.

1. Herr Salbert hat Verkäufer **gelernt**. Der _____ Verkäufer ist heute Abteilungsleiter.

2. Ein paar Kollegen haben mir das Restaurant Peking **empfohlen**. Das _____ chinesische Restaurant liegt etwas außerhalb.

3. Michael hat seine Brieftasche **verloren**. Die _____ Brieftasche ist noch nicht sehr alt.

4. Ein berühmter Architekt hat ein Hochhaus **geplant**. Das _____ Gebäude wird 60 Stockwerke haben.

5. Schlegels haben vier Konzertkarten **bestellt**. Die _____ Karten können sie eine Stunde vor dem Konzert an der Kasse bekommen.

6. Ich habe ein Grundstück **gekauft**. Das _____ Grundstück ist in der Nähe des Hafens.

7. Anne hat ihren Koffer schon **ausgepackt**. Der _____ Koffer liegt auf ihrem Bett.

8. Der Arzt hat mir etwas für meine Kopfschmerzen **verschrieben**. Das _____ Medikament werde ich in der Apotheke holen.

ÜBUNG 57

Beispiel: Die *Verkäuferin* zeigt einer **Kundin** modische Schuhe aus Italien.

1. Unsere Mannschaft hat die letzten sechs Spiele **verloren**. Wenn sie nicht bald _____ , wird niemand mehr ins Stadion kommen.

2. Frau Klose war mehrere Wochen **krank**, und sie ist bis heute noch nicht wieder ganz _____.

3. Niemand staunt darüber, daß Deutschland Autos **exportiert** und Benzin und Diesel _____.

4. Herr Dahm arbeitet in der **Innenstadt**, aber er wohnt am _____.

5. Es war die letzten Wochen _____ , aber es wird bestimmt bald wieder **warm**.

6. Ich kann mir nicht vorstellen, daß der Dollarkurs weiter **fällt** und nicht irgendwann wieder _____.

7. Letztes Jahr ist Thomas zum ersten Mal nicht **gemeinsam** mit seinen Eltern in Urlaub gefahren, sondern _____.

8. Der _____ war mit seinen neuen **Mietern** sehr zufrieden.

9. „Ist das Benzin dieses Jahr **billiger** geworden?" – „Leider nein, es ist schon wieder _____ geworden."

10. Ich war von dem Fußballspiel letzten Sonntag **enttäuscht**, aber mein Sohn war _____.

Auf Anzeigen antworten

Ich habe Ihre Anzeige in der *Rundschau* gelesen.

Guten Tag, Sie haben eine Anzeige in der *Rundschau*.

Ist die Wohnung noch frei?

Wann kann ich sie mir ansehen?

Wann paßt es Ihnen am besten?

Wie ist die Adresse?

Wie hoch sind die Nebenkosten?

In der Anzeige steht, daß die Wohnung ab 1.4. frei ist.

Gibt es in der Nähe eine U-Bahnhaltestelle?

Gibt es Parkprobleme?

Ist an Wochenenden viel Verkehr?

Wenn Sie wollen, können Sie sie sich heute abend ansehen.

Tut mir leid, die Wohnung ist schon weg.

Schon weg? Das ist aber schade.

Ich interessiere mich für den blauen VW.

Ist der blaue VW Golf noch zu haben?

Und was soll er kosten?

Tut mir leid, das ist mir zu teuer.

Vielen Dank für die Auskunft.

Das ist ...
– der Balkon
    Besitzer
    Durchmesser
    Hafen
    Mieter
    Mietvertrag
    Ortsrand
    Strom
    Vermieter

– die Heizung
    Insel
    Küche
    Miete

– das Bauwerk
    Gebäude
    Grundstück
    Hochhaus
    Schiff
    Stockwerk

Das sind ...
– die Nebenkosten
    Möbel

Das ist / sind ...
– der Mann, von dem wir das Haus gemietet haben.
– die Anzeige, von der du erzählt hast.
– das Büro, in dem Stefanie arbeitet.
– die Kunden, mit denen ich essen gehe.

Hat Paul eine Wohnung mit Balkon gemietet?
– Ja, die gemietete Wohnung hat einen Balkon.

Wie hoch ist der Eiffelturm?
– Der 1889 erbaute Eiffelturm ist 274 Meter hoch.

Wie waren die Wohnungen?
– Die Wohnungen, die Paul sich angesehen hat, waren entweder zu klein oder zu teuer.

Ist das der Wecker Ihrer Frau?
– Nein, das ist mein eigener Wecker.

Ausdrücke:
Die Wohnung ist schon weg!
Schade, aber da kann man nichts machen.
Das war wirklich Pech!
1500 DM im Monat kalt.
Wissen Sie, wo das ist?
Ja, so ungefähr.
Das werde ich schon finden.
Ist das nicht fantastisch?
Und was kommt als nächstes?

KAPITEL

9

Im März fuhr Klaus Huber von Bonn nach Basel in der Schweiz. Er besuchte Freunde, die er letztes Jahr im Urlaub kennengelernt hatte. Außerdem wollte er sich die Basler Fasnacht ansehen, von der er schon viel gehört hatte. Seine Freunde Max und Hilde warteten schon am Bahnhof auf ihn.

Max: Grüezi, Klaus! Wie war deine Reise?

Klaus: Gut. Ich freue mich sehr, euch zu sehen.

Hilde: Wir uns auch. Du bist bestimmt müde von der Reise. Komm, wir fahren erst einmal in unsere Wohnung.

Nachdem sich Klaus etwas ausgeruht hatte, erzählten ihm seine Freunde von der berühmten Basler Fasnacht.

Klaus: Sagt mal, wie lange gibt es denn schon die Basler Fasnacht?

Max: Seit der Römerzeit. Damals hat man schon im Dezember das Ende des Winters gefeiert. An Fasnacht haben sich die Sklaven als Herren verkleidet und umgekehrt. Man hat sein Gesicht hinter einer Maske versteckt und konnte so jedem die Meinung sagen.

Klaus: Das war bestimmt ganz lustig. Und wie feiert man heute, wo es doch keine Sklaven mehr gibt?

Hilde: Diese Tradition hat sich nicht sehr viel verändert. Heute macht man sich über die Freunde, Nachbarn und den Chef lustig. Die Fasnächtler werden auch mit uns ihren Spaß haben, wenn sie mit ihren Kostümen, Masken und viel Musik durch die Straßen ziehen.

Klaus: Und wie lange feiert man hier die Fasnacht?

Max: Drei Tage. Am Donnerstag morgen ist alles vorbei.

Klaus: Sagt mal, verkleidet ihr euch auch? Ich habe gar kein Kostüm mitgebracht.

Hilde: Die Zuschauer verkleiden sich meistens nicht. Das tun die Fasnachtsclubs, die hier Cliquen heißen. Aber das wirst du sehen, wenn du morgen früh mit uns durch die Altstadt läufst.

Klaus: Was heißt hier morgen früh? Wann geht's denn los?

Max: Um 4 Uhr. Deshalb müssen wir auch früh ins Bett, damit wir morgen rechtzeitig aus den Federn kommen.

ÜBUNG 58

1. Woher kannte Klaus seine Freunde?

2. Wie kam er nach Basel?

3. Was machten die Freunde, nachdem sie ihn abgeholt hatten?

4. In welcher Jahreszeit feiert man die Basler Fasnacht?

5. Und seit wann?

6. Wie verkleidete man sich früher?

7. Warum tragen Fasnächtler Masken?

8. Wo und wann fängt die Fasnacht an?

Klaus besucht Freunde. Er <u>hat</u> sie in Spanien kennengelernt.
→ Er besuchte Freunde. Er **hatte** sie in Spanien kennengelernt.

Ich komme nicht ins Büro. Ich <u>bin</u> heute morgen in Urlaub gefahren.
→ Ich kam gestern nicht ins Büro. Ich **war** am Samstag in Urlaub gefahren.

———————————————

Wir sahen viele Fasnächtler, nachdem wir nach Basel gefahren waren.
Barbara erzählte, daß sie in der Schweiz Kollegen getroffen hatte.
Die Freunde hatten schon gegessen, bevor sie in die Stadt gingen.

ÜBUNG 59

Beispiel: Als ich von der Fasnachtsfeier **_gehört_**   **_hatte_** , rief ich gleich meine
Freunde in Köln an. *(hören)*

1. Weil die Oper mit 15 Minuten Verspätung _____ _____ , kam Beate noch
   rechtzeitig zur Vorstellung. *(anfangen)*

2. Du konntest dir die Paul-Klee-Ausstellung nicht ansehen, weil du schon in
   Urlaub _____ _____. *(fahren)*

3. Bekam Ulrich einen Strafzettel, weil er falsch _____ _____? *(parken)*

4. Ich wußte nicht, daß Hubers schon letzte Woche nach Italien _____
   _____. *(fliegen)*

5. Nachdem wir durch die Mainzer Altstadt _____ _____ , wollten wir noch
   etwas essen gehen. *(ziehen)*

6. Als Eberhard bei uns vorbeikam, _____ wir schon ins Kino _____.
   (gehen)

ÜBUNG 60

Beispiele: Ich fand meinen Autoschlüssel unter dem Sofa. Ich **_hatte_** fast eine Stunde danach **_gesucht_** . *(suchen)*

Nachdem wir uns verkleidet hatten, **_gingen_** wir zu einem Fest **_X_** . *(gehen)*

1. Als wir am Strand _____ , war die Sonne schon untergegangen. *(ankommen)*

2. Der Besitzer _____ die Wohnung schon _____ , als ich anrief. *(vermieten)*

3. Herr und Frau Gebhard bekamen kein Hotelzimmer mehr, denn sie _____ nicht rechtzeitig _____. *(buchen)*

4. Ich mußte heute morgen ein Taxi nehmen, weil der Bus schon _____ _____. *(abfahren)*

5. Nachdem sie sich oft bei der Zeitung beworben hatte, _____ Marion Anfang dieses Jahres dort eine Stelle _____. *(bekommen)*

6. Als Bergers in ihre neue Wohnung kamen, sahen sie, daß die letzten Mieter nicht alle Möbel _____ _____. *(mitnehmen)*

7. Bevor Max ins Büro _____ _____ , hatte er seinen Freund zum Bahnhof gebracht. *(fahren)*

8. Du _____ schon nach Hause _____ , als ich sah, daß du deinen Regenschirm bei uns vergessen hattest. *(gehen)*

ÜBUNG 61

Beispiel: Die ersten maskierten Gäste kamen __*gegen*__ 20 Uhr zu unserer Party.

    a) genau   b) **gegen**   c) gerade

1. Olaf hatte sechs Monate nach einer Wohnung gesucht! _____ hat er eine gefunden.

    a) Jetzt   b) Oft   c) Manchmal

2. Hast du _____ Zeit, damit ich das Öl deines Wagens wechseln kann?

    a) fast   b) etwas   c) bißchen

3. Frau Seibold war lange in Brüssel gewesen, _____ sie nach Basel kam.

    a) nachdem   b) seit   c) bevor

4. Wenn das Wetter schön ist, gehe ich _____ im Park spazieren.

    a) manchmal   b) plötzlich   c) letzte Woche

5. Weil die Vorstellung _____ angefangen hatte, konnte Karlheinz nicht mehr ins Theater.

    a) später   b) schon   c) noch nicht

6. _____ wann können Sie uns den Fernseher reparieren?

    a) Zu   b) Bis   c) Nach

7. Fastnacht hat nicht nur in Basel, sondern auch in Mainz, Köln und Düsseldorf eine _____ Tradition.

    a) lange   b) jährliche   c) dauernde

8. _____ der Vermieter den Mietvertrag ausgefüllt hatte, konnte der Mieter ihn unterschreiben.

    a) Während   b) Zuerst   c) Nachdem

Weltweit sprechen ungefähr 100 Millionen Menschen Deutsch. Man spricht natürlich in Deutschland, in Österreich und in der Schweiz Deutsch, aber man hört die deutsche Sprache auch noch in Luxemburg, in Liechtenstein und im französischen Elsaß.

Außerdem gibt es auch deutschsprachige Volksgruppen in Afrika (Namibia), in Nord- und Südamerika, in Norditalien, in Polen, in Ungarn, in Rumänien und in Rußland.

Ja, Deutsch spricht man in vielen Ländern, aber es gibt von Land zu Land kleine Unterschiede. Die Dialekte der deutschsprechenden Leute sind dabei manchmal so verschieden wie die Länder selbst.

Zum Beispiel sagt man in Deutschland normalerweise *Guten Tag,* wenn man jemanden auf der Straße sieht, den man kennt. Die Österreicher hört man aber oft *Grüß Gott* sagen, und in der Schweiz heißt es *Grüezi.* Sagen wir, Sie möchten *Brötchen* kaufen. In Österreich fragen Sie dann nach *Semmeln,* aber die Verkäuferin einer schweizer Bäckerei verkauft Ihnen *Weggli.*

Wie spät ist es? fragt man in Deutschland, wenn man wissen will, wieviel Uhr es ist, stimmt's? In der Schweiz hört man aber auch *Welche Zeit haben Sie?* Und wenn es in Deutschland *Auf Wiedersehen* heißt, sagt man in der Schweiz *Auf Wiederluege* und in Österreich *Auf Wiederschauen.*

Hier sind noch einige Beispiele:

Deutschland	*Österreich*	*Schweiz*
Schuh	Schuh	Schlarpe
Mädchen	Dirndl/Mädel	Meitli
Tüte	Sackerl	Sack

ÜBUNG 62

1. Wo spricht man in Frankreich Deutsch?

2. Was sind *Weggli*?

3. Wie sagt man in Österreich *Guten Tag*?

4. Welche Sprache außer Deutsch spricht man noch im Elsaß?

5. Wie fragt man in Zürich, wenn man wissen will, wie spät es ist?

6. Was sind ein Paar Schlarpen?

7. In Deutschland sagt man *Auf Wiedersehen.* Was sagt man in der Schweiz?

8. In der Schweiz sagt man *Meitli* für Mädchen. Und was sagt man in Österreich?

> Der Computer mein**es** neu**en** Kollegen war sehr teuer.
> Wie findest du die Farbe dies**er** elegant**en** Handtasche?
> Der Teppich unser**es** groß**en** Büro**s** hat viel Geld gekostet.

> das Bier dieser Münch**ner** Kneipe
> die Adresse unseres Köln**er** Büro**s**

ÜBUNG 63

Beispiel: Haben Sie den Stadtplan **unseres spanischen Freundes** gefunden? *(unser spanischer Freund)*

1. Ich finde, daß der Rock _____ nicht zu kurz ist. *(Ihr modisches Kostüm)*

2. Hat jemand die Uhr _____ gefunden? *(unsere älteste Tochter)*

3. Herr Bauer ist der Mieter _____ in unserem Haus. *(die teuerste Wohnung)*

4. Gerd hat dem Kellner _____ ein gutes Trinkgeld gegeben. *(das italienische Restaurant)*

5. Unsere Konzertkarten liegen in der Schublade _____. *(mein großer Schreibtisch)*

6. Die Zimmer _____ müssen nicht immer schlecht sein. *(ein billiges Hotel)*

7. Haben Sie die Schaufenster _____ gesehen? *(das größte Kaufhaus der Stadt)*

8. Ich werde die Anzeigen _____ lesen. *(die englische Zeitung)*

__ÜBUNG 64__ – *Benutzen Sie die richtige Verbform mit* **ab-, auf-, ein-, mit-, vor-***:*

Beispiel: Die Firma hat sehr viel Arbeit. Deshalb wird sie 20 neue Angestellte
___*einstellen*___ . *(-stellen)*

1. Konrads haben ihren holländischen Freunden ein paar Flaschen Wein
   _____. *(-bringen)*

2. Kurz bevor wir in Urlaub fuhren, haben wir von unserem Konto noch
   500 DM _____. *(-heben)*

3. Richard hat mich gestern in seinem Auto in die Stadt _____.
   (-nehmen)

4. Wie viele Leute werdet ihr zu eurer Geburtstagsfeier _____?
   (-laden)

5. Ich brauche meine Bordkarte und möchte meinen Koffer _____. *(-geben)*

6. Bist du auch letzte Nacht von dem starken Regen _____?
   (-wachen)

7. Frau Schulz wird den Termin für das Vorstellungsgespräch _____, weil sie
   immer noch krank ist. *(-sagen)*

8. Ich muß morgen früh _____, weil mein Zug nach Bremen schon um 8 Uhr
   fährt. *(-stehen)*

9. Kannst du dir _____, jedes Wochenende zu arbeiten?
   (-stellen)

10. Wir hatten keine warmen Pullover _____, als wir letztes Jahr in die Berge
    fuhren. *(-packen)*

Grüß dich!

Guten Morgen, Herr Direktor! Wie geht es Ihnen?
Gut, vielen Dank! Und Ihnen?
Auch gut. Danke!

Herr Mahler, ich grüße Sie!
Guten Abend, Frau Selmer. Wie geht's?
Danke gut!

Ach, Herr Keitel! Guten Tag!
Tag, Frau Kühne. Geht's gut?
Ausgezeichnet! Danke!

Hallo, Herr Franke! Lange nicht gesehen.
Tja, ich hatte viel zu tun. Wie geht's denn?

Guten Morgen, Albert! Schon so früh im Büro?
Morgen, Erich! Mein Wecker hat zu früh geklingelt.

Servus Erika! Wie geht's dir denn?
Nicht schlecht. Und dir?
Es geht so.

Hallo, Susanne! Wie geht's?
Mir geht's gut. Ich hoffe dir auch.
Na ja, es geht.

Grüß dich, Reinhard! Was gibt's Neues?
Bei mir nichts. Und bei dir?

Na, Helga, wie geht's denn so?
Gar nicht schlecht. Und dir?
Sehr gut.

Das ist …
– der Dialekt
    Fasnächtler
    Römer
    Sklave
    Unterschied

– die Fasnacht
    Maske
    Meinung
    Volksgruppe

– das Ende
    Hochdeutsch

Woher kannte Klaus seine Freunde?
– Er hatte sie in Spanien
  kennengelernt.

Warum kamen Sie nicht ins Büro?
– Ich war in Urlaub gefahren.

Wann sahen Sie die Fasnächtler?
– Wir sahen sie, nachdem wir nach
  Basel gefahren waren.

Was taten Sie, nachdem Sie von der Feier gehört hatten?
– Nachdem ich von der Feier gehört
  hatte, rief ich meine Freunde an.

Wie finden Sie …
– den Computer meines neuen
  Kollegen?
– die Farbe dieser eleganten
  Handtasche?
– den Teppich unseres großen Büros?
– das Bier dieser Münchner Kneipe?

Wo findet man …
– die Adresse Ihres Kölner Büros?

Ausdrücke:
Man machte sich über Freunde lustig.
Man sagte jedem die Meinung.
Sie werden ihren Spaß mit uns haben.
Ich habe viel davon gehört.
Klaus muß rechtzeitig aus den Federn.
Es gibt von Land zu Land
  Unterschiede.
Wann geht's denn los?
Am Donnerstag ist alles vorbei.
Sagt mal, …?
Was heißt hier morgen früh?

KAPITEL

10

Paul Fraser aus Kanada und seine Kollegin Jutta Eisner gehen am Donnerstag abend nach der Arbeit ein Bier trinken.

Paul: Sag' mal, Jutta, hast du am Samstag abend Lust, ins Kino zu gehen?

Jutta: Tut mir leid, am Samstag kann ich nicht. Zwei Freunde von mir heiraten, und sie haben mich zu ihrer Hochzeit eingeladen.

Paul: Und wie wär's mit morgen abend?

Jutta: Morgen geht's auch nicht. Da gehe ich zum Polterabend.

Paul: Polterabend? Was ist denn das?

Jutta: Das ist ein alter deutscher Brauch. Am Abend vor der Hochzeit wird im Haus der Braut gefeiert. Die Gäste bringen altes Geschirr mit und werfen es mit viel Lärm vor die Haustür. Man sagt, das bringt dem Brautpaar Glück.

Paul: Und wer kümmert sich dann um die vielen Scherben?

Jutta: Die Scherben werden anschließend von Braut und Bräutigam gemeinsam zusammengekehrt. Das ist wichtig für eine gute und harmonische Ehe.

Paul: Und was sagen die Nachbarn zu dem Lärm? Bei so einem Polterabend geht es doch sicher sehr laut zu, oder?

Jutta: Die Nachbarn sind kein Problem. Die werden natürlich zu der Feier eingeladen.

Paul: Polterabend … So etwas Verrücktes gibt es bei uns in Kanada nicht.

Jutta: Das ist ja noch nicht alles. Bei der Hochzeitsfeier am nächsten Tag gibt es noch einen anderen Brauch. Ein paar Gäste bringen die Braut in eine Kneipe, ohne daß der Bräutigam es sieht. Dort feiern und trinken sie weiter.

Paul: Und was macht der Bräutigam?

Jutta: Er muß seine Frau dann suchen. Er geht von Kneipe zu Kneipe, bis er die Braut findet. Und das kann lange dauern.

Paul: Das kann ich mir gut vorstellen … Na, dann wünsche ich dir am Wochenende viel Spaß. Und ich trinke schon jetzt auf das Brautpaar. Prost!

ÜBUNG 65

1. Was machen Paul und Jutta am Donnerstag abend?

2. Wozu ist Jutta am Samstag eingeladen?

3. Warum weiß Paul Fraser nicht, was ein Polterabend ist?

4. Wo wird ein Polterabend normalerweise gefeiert?

5. Warum wird von den Gästen Geschirr vor die Haustür geworfen?

6. Was muß das Brautpaar tun?

7. Warum wird es mit dem Lärm keine Probleme geben?

8. Auf wen trinkt Paul?

werden + Partizip Perfekt

> Michaela **wird** am Dienstag **eingestellt**.
>
> Das Auto **wurde** letztes Jahr **gebaut**.

> IBM stellt diesen Computer her.
> → Dieser Computer **wird** <u>von</u> IBM **hergestellt**.
>
> Die *Allgemeine* wird jeden Tag von vielen gelesen.
> Von der Braut werden viele Fotos gemacht.
> Die Scherben wurden nach dem Fest zusammengekehrt.

ÜBUNG 66 – *Präsens oder Imperfekt?*

Beispiel: Unser Museum **_wurde_** letzten Monat **_eröffnet_** . *(eröffnen)*
   Meine Wohnung **_wird_** nächste Woche **_vermietet_** . *(vermieten)*

1. Die Heizung _____ noch heute von der Herstellerfirma _____.
   (reparieren)

2. Gestern _____ von den Kollegen über den Umsatz _____. *(sprechen)*

3. Die Broschüre _____ den Kunden morgen _____. *(schicken)*

4. Wann _____ das Brandenburger Tor in Berlin _____? *(bauen)*

5. Faxgeräte _____ bis 1985 nur von wenigen Firmen _____. *(benutzen)*

6. Meine Abzüge _____ gestern von dem Fotogeschäft am Hessenplatz
   _____. *(entwickeln)*

7. Elkes Hochzeit _____ nicht diesen, sondern nächsten Samstag _____ .
   (feiern)

8. Letztes Jahr _____ von einem berühmten Architekten ein neuer Hafen
   _____. *(planen)*

ÜBUNG 67

Beispiele: 1896 schrieb Gustav Mahler **die längste Sinfonie**.
Die längste Symphonie wurde 1896 von Gustav Mahler geschrieben.

Seit 1680 stellt man in Mittenwald **Violinen** her.
Seit 1680 werden in Mittenwald Violinen hergestellt.

1. 1934 baute man in Prag **das größte Fußballstadion**.

2. Seit 1894 stellt Daimler-Benz auch **Autobusse** her.

3. **Den größten Diamanten** fand man 1905 in Südafrika.

4. In Papua-Neuguinea spricht man **über 800 Sprachen**.

5. Herbert von Karajan leitete von 1956 bis 1964 **die Wiener Staatsoper**.

6. 1854 schrieben die Brüder Grimm **das erste deutsche Wörterbuch**.

7. Im Jahr 2000 eröffnet man **die Olympischen Spiele** in Sydney, Australien.

8. Der Schwimmer Mark Spitz gewann bei der Olympiade 1972 **die meisten Goldmedaillen**.

ÜBUNG 68

Beispiel: Ich muß unbedingt mit Herrn Lang sprechen. Es handelt
sich __um__ etwas Wichtiges.

    a) über   **b) um**   c) von

1. Jürgen ist nie vor 9 Uhr im Büro. Er kommt morgens einfach nicht _____ den
   Federn.

       a) von   b) zu   c) aus

2. Haben Sie schon _____ dem neuen Musical im Stadttheater gehört?

       a) über   b) von   c) um

3. Was haben die Nachbarn _____ dem Lärm gesagt, als Rosie ihren Geburtstag
   gefeiert hat?

       a) zu   b) über   c) auf

4. Frau Sandner fragt ihre Sekretärin, ob sie sie _____ dem Reisebüro verbinden
   kann.

       a) mit   b) an   c) zu

5. Am Montag hat man sich im Büro _____ das Wetter am Wochenende
   unterhalten.

       a) von   b) über   c) unter

6. Die Umsätze unserer Firma sind im letzten Halbjahr _____ 4% gefallen.

       a) um   b) für   c) zu

7. In vielen Ländern wird Spanisch gesprochen, aber _____ Land zu Land gibt es
   einige Unterschiede.

       a) in   b) von   c) zu

8. Nachdem ich bei meinen Freunden angekommen war, erzählten wir uns _____
   letzten Urlaub.

       a) vom   b) über   c) zum

Suchen die Engländer Gesellschaft[1], gehen sie in ihre Lieblingskneipe. Die Italiener treffen sich mit Freunden im Café, und die Franzosen spielen Boule[2]. Und was tun die Deutschen in ihrer Freizeit? Sie treffen sich mit anderen in einem Verein.

Es gibt in Deutschland ungefähr 300 000 Vereine: Hundevereine, Wandervereine und Musikvereine. Es gibt Vereine der Fotofreunde, der Schachspieler, der Mieter, der Fahrradfahrer, der Gärtner, der Computerspieler, der Kinofreunde, usw. usw. Wußten Sie, daß in Deutschland über 2 Millionen Leute in fast 20 000 Gesangvereinen sind? Und weil der Sport bei den Deutschen besonders beliebt ist, ist auch jeder vierte Bundesbürger[3] Mitglied in einem der 75 000 Sportvereine, von der Tennis spielenden Sekretärin bis zum Fußball spielenden Polizisten. Schon die Fußballvereine haben über 5 Millionen Mitglieder.

Fast für jeden Freizeitbereich gibt es Vereine, in denen man mit anderen Leuten seinen Hobbys nachgehen kann. Und die Mitglieder treffen sich regelmäßig zu

[1] *Gesellschaft suchen = mit Leuten zusammensein wollen*
[2] *Boule = franz. Spiel*
[3] *Bundesbürger = jeder Deutsche*

Versammlungen, um über die Aktivitäten[4] des Vereins zu diskutieren. Diese Versammlungen finden natürlich meistens im Vereinslokal statt.

Vereine haben in Deutschland eine lange Tradition. Anfang des 19. Jahrhunderts[5] gab es die ersten Sportvereine. Dort trieb man nicht nur Sport, sondern man interessierte sich auch für Politik. Der deutsche Schriftsteller[6] Kurt Tucholsky hat später die Vereinsversammlungen deshalb auch einmal „Die kleinen Parlamente" genannt.

[4] Aktivität = was ein Verein tut
[5] 19. Jahrhundert = 1800 bis 1899
[6] Schriftsteller = jemand, der Bücher schreibt

ÜBUNG 69

1. In einem Verein _____.
   a. suchen die Engländer Gesellschaft
   b. sind die Italiener immer zusammen
   c. verbringen viele Deutsche ihre Freizeit

2. _____ in einem Fußballverein.
   a. Jeder vierte Bundesbürger ist
   b. 2 Millionen Fußballspieler spielen
   c. Mehr als 5 Millionen Leute sind Mitglieder

3. Im Verein geht man nicht nur seinem Hobby nach, sondern _____.
   a. man trifft sich auch gern im Vereinslokal
   b. die Mitglieder sind auch besonders beliebt
   c. jeder hat auch Interesse an Versammlungen

4. In Vereinslokalen wird normalerweise _____.
   a. Sport getrieben
   b. seinen Hobbys nachgegangen
   c. über Vereinsaktivitäten gesprochen

5. Tucholsky hat Vereinsversammlungen „kleine Parlamente" genannt, weil _____.
   a. sich in Sportvereinen keiner für Politik interessiert
   b. man dort früher viel über Politik sprach
   c. Politik eine lange Tradition hat

Infinitiv + d

fahren - **d**	Bitte nicht aus dem **fahrenden** Zug aussteigen!
lachen - **d**	Der **lachende** Bräutigam sucht seine Braut.
erscheinen - **d**	Samstags **erscheinende** Anzeigen werden öfter gelesen.

ÜBUNG 70

Beispiel: Die __*tanzenden*__ Gäste hatten auf unserer Hochzeit besonders viel Spaß. *(tanzen)*

1. Beate steigt in den _____ Bus ein. *(warten)*

2. Kann man an der Messeinformation auch eine Liste der _____ Firmen bekommen? *(ausstellen)*

3. In der _____ Woche wird ein bekannter Gesangverein im Stadttheater ein Konzert geben. *(kommen)*

4. Frau Huber sagt ihren Kindern, daß sie nicht zwischen den _____ Autos spielen sollen. *(parken)*

5. Ich habe einen _____ Angestellten deiner Abteilung auf einer Feier kennengelernt. *(leiten)*

6. Durch die _____ Ölpreise muß man für Benzin und Diesel wieder mehr bezahlen. *(steigen)*

7. Der Taxifahrer hatte mehrere Minuten mit _____ Motor vor unserem Haus gewartet. *(laufen)*

8. Jeder _____ Kollege bekam nach der Konferenz eine Broschüre. *(teilnehmen)*

9. Jens ist heute morgen so müde, daß er den _____ Wecker nicht hört. *(klingeln)*

10. Auf unseren regelmäßig _____ Vereinsversammlungen wird auch viel über Politik diskutiert. *(stattfinden)*

ÜBUNG 71

Beispiele: Viele Deutsche sind **Mitglied** in einem **Verein**. Schon die Fußballvereine haben über 5 Millionen *Vereinsmitglieder* .

Nicht nur die Schweiz ist ein *deutschsprachiges* Land.
Deutsch wird auch in Österreich **gesprochen**.

1. Für die nächsten Tage wurde schönes **Wetter vorhergesagt**. Leider kann man sich nicht immer auf die _____ verlassen.

2. Ihr Auto steht im _____! Es ist **verboten**, in dieser Straße zu **parken**!

3. Frau Brenner _____ eine _____ in Süddeutschland. Aber in ein paar Jahren wird ihr Sohn **Firmenleiter** werden.

4. In Frankreich wird in **Gesellschaft** oft Boule **gespielt**. Boule ist ein beliebtes _____.

5. „Konnten Sie Ihr Geld zu einem guten **Kurs wechseln**?" – „ Aber ja! Der _____ ist in den letzten Wochen gestiegen."

6. Viele Leute **fahren** mit dem **Fahrrad** zur Arbeit. _____ ist heute nicht mehr nur ein Freizeitsport.

7. Familie Eggert hat eine neue Wohnung **gemietet**, und gestern wurde der **Vertrag** unterschrieben. Im _____ steht, daß auch ihr Hund in der Wohnung wohnen darf.

8. **Sport** ist bei uns sehr wichtig, und wir **veranstalten** wieder eine Fußballmeisterschaft. Jedes Jahr finden in unserer Stadt viele _____ statt.

ÜBUNG 72

Beispiel: Viele Leute __*gehen*__ in ihrer Freizeit einem Hobby nach.

      a) haben   **b) gehen**   c) machen

1. Wenn Sie zum Bahnhof wollen, müssen Sie den Schildern _____!

    a) folgen   b) suchen   c) fahren

2. Bevor man am Schalter seine Bordkarte bekommt, muß man seinen Koffer _____.

    a) abheben   b) aufgeben   c) auflegen

3. Frau Hermann wird heute noch mit ihrem Chef sprechen. Es _____ sich um etwas Wichtiges.

    a) spricht   b) geht   c) handelt

4. Ich darf nicht vergessen, morgen den Wecker zu _____ , sonst komme ich wieder zu spät zur Arbeit.

    a) stehen   b) steigen   c) stellen

5. „Schöne Grüße _____ deine Vereinskollegen, Frank!"

    a) an   b) für   c) zu

6. Bei der Basler Fasnacht zieht man schon sehr früh morgens _____ die Straßen.

    a) in   b) durch   c) auf

7. Herr Silber hat dem Ober die Meinung _____ , denn das Essen im Restaurant war nicht besonders gut.

    a) erzählt   b) gesprochen   c) gesagt

8. Hat sich Elke bei meiner letzten Geburtstagsfeier über ihre Schwester lustig _____?

    a) gemacht   b) getan   c) gefreut

Das ist …
– der Brauch
     Bräutigam
     Gärtner
     Gesangverein
     Lärm
     Polterabend
     Verein

– die Braut
     Hochzeit
     Versammlung

– das Brautpaar
     Geschirr
     Glück
     Hobby
     Mitglied
     Parlament
     Vereinslokal

Das sind …
– die Scherben

Wer stellt diesen Computer her?
– Er wird von IBM hergestellt.

Wann stellt man Michaela ein?
– Sie wird am Dienstag eingestellt.

Wie alt ist das Auto?
– Das Auto wurde letztes Jahr gebaut.

Fotografiert jemand die Braut?
– Ja, von ihr werden viele Fotos
  gemacht.

Was hat man mit den Scherben gemacht?
– Sie wurden zusammengekehrt.

Haben Sie laut gefeiert?
– Man kann auch feiern, ohne daß
  man Lärm macht.

Hat jemand mein Buch gesehen?
– Georg hat es genommen, ohne daß
  du es gesehen hast.

Wer sucht seine Braut?
– Der lachende Bräutigam sucht seine
  Braut.

Welche Anzeigen werden öfter gelesen?
– Samstags erscheinende Anzeigen
  werden öfter gelesen.

Ausdrücke:
So etwas Verrücktes!
Man sagt, das bringt Glück.
Es geht laut zu.
Die Nachbarn sind kein Problem!
Das ist ja noch nicht alles!
Das kann ich mir gut vorstellen.
Das kann lange dauern!

KAPITEL

11

Es ist Samstag morgen, und Jörg Schulte geht zum Flohmarkt. Dort kann man fast alles kaufen: Pullover aus Südamerika, Uniformen aus Rußland, Masken aus Afrika, und dazwischen gibt es Stände mit alten Büchern, antiken Möbeln, CDs, gebrauchten Autoradios, usw. Und über die Preise kann man verhandeln. Jörg sieht einen Stand mit alten Uhren.

Jörg: Diese Uhr hier, was wollen Sie dafür haben?

Mann: 150 DM. Das ist eine Rarität, aus den 40er Jahren.

Jörg: Hm ... Aber die Uhr geht nicht. Wenn sie gehen würde, würde ich vielleicht soviel bezahlen. Wie wär's mit 80 DM?

Mann: 80? Nein, da ist nichts zu machen!

Jörg: Na gut. Ich gebe Ihnen 100 DM dafür.

Mann: 100 DM für so eine Uhr? Sie machen wohl Witze! So was findet man heute nur noch selten. Aber gut. Für 130 können Sie sie haben.

Jörg: Das ist sie nicht wert! Wenn ich die Uhr reparieren lasse, kostet mich das eine Menge Geld.

Mann: 110 DM, und keinen Pfennig weniger! Das ist mein letztes Wort.

Jörg: Also schön, 110. Abgemacht.

Ein guter Fang, denkt Jörg. Wenn er die Uhr in einem Laden kaufen würde, würde er mindestens doppelt soviel dafür bezahlen. Jörg steckt die Uhr in seine Tasche. An einem anderen Tisch sieht er eine junge Frau, die Brieftaschen aus Leder verkauft.

Frau: Sehen Sie hier, die sind handgemacht und kommen aus Marokko. 20 DM das Stück!

Jörg: 20 DM? Eigentlich brauche ich keine, aber ...

Frau: 15 DM! So spottbillig bekommen Sie nirgendwo eine Brieftasche aus Leder!

Stimmt, sagt sich Jörg, und er gibt der jungen Frau 15 DM. An einem Imbißstand bestellt er eine Portion Pommes frites. Als er bezahlen will, sucht er in seinen Taschen nach Geld. Aber alles, was er findet, sind eine leere Brieftasche und eine alte Uhr.

ÜBUNG 73

1. Warum ist die Uhr so teuer?

2. Warum ist Jörg nicht bereit, 150 DM dafür zu bezahlen?

3. Welchen Preis bezahlt Jörg für die Uhr?

4. Wieviel würde er bezahlen, wenn er sie in einem Laden kaufen würde?

5. Woraus ist die Brieftasche, die Jörg kauft?

6. Und wo wurde sie hergestellt?

7. Was tut Jörg, nachdem er die Brieftasche gekauft hat?

8. Warum kann er die bestellten Pommes frites nicht bezahlen?

	sein	*haben*	*geben usw.*
ich	**wäre**	**hätte**	**würde** geben
du	**wärst**	**hättest**	**würdest** geben
er / sie / es	**wäre**	**hätte**	**würde** geben
wir	**wären**	**hätten**	**würden** geben
ihr	**wäret**	**hättet**	**würdet** geben
sie / Sie	**wären**	**hätten**	**würden** geben

Wir gehen nicht ins Konzert. Wir haben keine Zeit.
→ Wenn wir Zeit **hätten, würden** wir ins Konzert gehen.

Wenn Martina Russisch sprechen **würde, wäre** das ein Vorteil.
Ich **wäre** zufriedener, wenn die Geschäfte besser gehen **würden**.

ÜBUNG 74

Beispiel: viel Geld haben – ein Haus kaufen *(Claudia)*
Wenn Claudia viel Geld hätte, würde sie ein Haus kaufen.

1. das Spiel gewinnen – eine Medaille bekommen *(unsere Mannschaft)*

2. Leiter der Personalabteilung sein – mehr Angestellte einstellen *(du)*

3. ein paar Tage frei haben – nach Rio fliegen *(ihr)*

4. Raritäten auf dem Flohmarkt kaufen – eine Menge Geld sparen *(ich)*

5. sich verlaufen – nach dem Weg fragen *(meine Freunde)*

6. auf der Autobahn kein Benzin mehr haben – ein Auto anhalten *(wir)*

7. in Wien sein – sich den Prater ansehen *(Sven)*

8. keine Berufserfahrung haben – die Stelle nicht bekommen *(du)*

Ich kaufe den Regenschirm. Er ist spottbillig.
→ Ich würde ihn <u>nicht</u> kaufen, wenn er <u>nicht</u> spottbillig wäre.

Max leistet sich <u>kein</u> Auto. Er hat <u>wenig</u> Geld.
→ Wenn Max mehr Geld hätte, würde er sich ein Auto leisten.

ÜBUNG 75

Beispiele: Georg ist nicht in Rom. Er arbeitet nicht dort.
Er wäre in Rom, wenn er dort arbeiten würde.

Es regnet. Ich gehe nicht auf den Flohmarkt.
Wenn es nicht regnen würde, würde ich auf den Flohmarkt gehen.

1. Ich fahre nicht in die Berge. Ich habe keinen Urlaub.

2. Linda hat keinen Zugfahrplan. Sie ruft am Bahnhof an.

3. Frankfurt liegt verkehrsgünstig. Dort finden viele Messen statt.

4. Man schaltet keine Anzeige. Man sucht keinen Verkaufsleiter.

5. Ich kaufe diese antike Uhr. Sie ist handgemacht.

6. Ihr Telefon ist kaputt. Sie benutzen meins.

7. Mein Auto ist in der Werkstatt. Ich hole Martina nicht vom Flughafen ab.

8. Der Umsatz steigt nicht. Die Personalabteilung stellt keine Leute ein.

Paul <u>kauft</u> gern Antiquitäten. **Das Kaufen** von Antiquitäten macht ihm Spaß.
Im Museum darf man nicht <u>rauchen</u>. Hier ist **das Rauchen** verboten.
Auf dem Fest wurde <u>gelacht</u>. Man konnte **das** laute **Lachen** weit hören.

ÜBUNG 76 – *Finden Sie das passende Wort!*

Beispiel: Das **_Sammeln_** von alten Uhren ist Jörgs Hobby.

1. Das _____ wird wieder billiger, denn die Benzinpreise sind letzte Woche gefallen.	Ausfüllen
2. Das _____ auf dem Land hat nicht nur Vorteile.	Tanken
3. Herr Hansen, bitte geben Sie mir das _____ der Firma Kobler.	Schreiben
	Aussehen
4. Ich bin oft unterwegs. Das _____ in andere Länder macht mir viel Spaß.	➤ **Sammeln**
	Entwickeln
5. Wir werden uns dieses Haus kaufen. Sein _____ hat uns am besten gefallen.	Mitbringen
6. Das _____ von Kassettenrekordern zu Konzerten ist verboten.	Wohnen
7. Das _____ des Kaufvertrags für mein neues Auto hat nicht besonders lange gedauert.	Reisen
8. Wieviel hat das _____ deiner Fotos gekostet?	

DAS ERSTE GEDRUCKTE BUCH

Bücher sind heutzutage nichts Besonderes. Sie sind einfach herzustellen, können überall gekauft werden und sind auch nicht sehr teuer. Aber das war nicht immer so.

Bücher gibt es schon seit ungefähr 2000 Jahren. Aber das gedruckte Buch ist noch gar nicht so alt. Erst 1440 erfand der Mainzer Johann Gutenberg die Buchpresse. Bis dahin mußte alles mit der Hand geschrieben werden, was natürlich sehr lange dauerte. Deshalb konnten sich auch nur Leute, die sehr viel Geld hatten, Bücher leisten.

Gutenbergs erstes gedrucktes Buch, die Bibel, entstand 1455. Jede Seite mußte Buchstabe für Buchstabe zusammengesetzt werden. Die Buchstaben wurden dann eingefärbt[1], ein Blatt Papier wurde darauf gelegt und anschließend wurde der Text mit einer Presse gedruckt.

In nur 3 Jahren stellten Gutenberg und seine 20 Mitarbeiter zwischen 180 und 200 Bibeln her. Jedes Buch hatte 1282 Seiten und kostete nur noch ein Fünftel[2] von dem, was eine handgeschriebene Bibel gekostet hätte.

[1] einfärben = Farbe auf etwas geben
[2] ein Fünftel (von 100) = 20

In den nächsten 400 Jahren änderte sich kaum etwas an Gutenbergs Drucktechnik. Erst im 19. Jahrhundert, mit dem Erfinden der Schnelldruckmaschine, konnte seine Methode verbessert werden.

Heute setzt man natürlich keine Buchstaben mehr zusammen, wenn man ein Buch drucken will. Moderne Computer können in einer Stunde mehrere Millionen Schriftzeichen[3] schreiben. Früher schaffte eine Schnelldruckmaschine nur 1500, und vor Gutenbergs Erfindung konnte ein Handschreiber in dieser Zeit nur 500 Buchstaben zu Papier bringen[4].

[3] *Schriftzeichen = Buchstaben, .,?,!, usw.*
[4] *zu Papier bringen = schreiben*

ÜBUNG 77

1. Warum dauerte es vor Gutenbergs Erfindung so lange, bis ein Buch fertig war?

2. Warum hatten nur wenige Leute Bücher?

3. Wann erschien das erste gedruckte Buch?

4. Warum konnten sich nach der Erfindung des Buchdrucks mehr Leute Bücher leisten?

5. Was war die nächste wichtige Erfindung nach Gutenberg im Bereich Buchdruck?

6. Wie lange brauchte eine Maschine im 19. Jahrhundert, um 1500 Schriftzeichen zu schreiben?

> Gabi muß <u>Heinz</u> zur Schule bringen.
> → Heinz **muß** (von Gabi) zur Schule **gebracht werden**.
>
> Man konnte <u>Bücher</u> billiger drucken.
> → Bücher **konnten** billiger **gedruckt werden**.

ÜBUNG 78

Beispiele: Herr Körner mußte **seinen Termin** absagen.
Der Termin mußte von Herrn Körner abgesagt werden.

Man darf **das Auto** hier nicht parken.
Das Auto darf hier nicht geparkt werden.

1. Kann man auf dem Flohmarkt immer **über den Preis** verhandeln?

2. Man muß regelmäßig **das Öl** bei einem Auto wechseln.

3. Die Leona AG konnte **das geplante Hochhaus** auf dem Grundstück neben unserer Firma bauen.

4. Am Polterabend durften die Gäste **viel Lärm** machen.

5. Man konnte **die Technik von benzinsparenden Autos** verbessern.

6. Hat Frau Kunkel gesagt, daß Sie **diesen Brief** heute noch nach Frankfurt schicken sollen?

7. **Geldautomaten** kann man auch nachts benutzen.

8. Bevor wir die Wohnung bekommen, müssen wir **den Mietvertrag** unterschreiben.

ÜBUNG 79

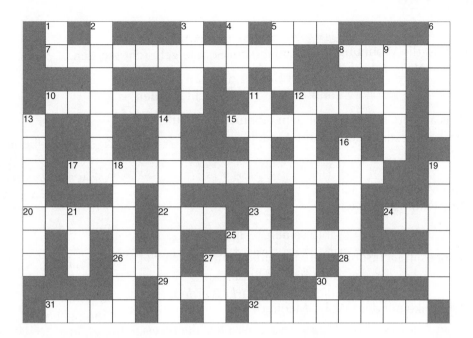

Waagrecht ➡

5. nicht *unter*
7. über etwas sprechen, sich ___
8. Dort gibt es Schiffe.
10. Schuhe sind aus ___.
12. Ausgezeichnet!
15. wo man Filme sehen kann
17. Namen unter Brief schreiben
20. nicht *ungefähr*
22. Ich gebe ___ (Max) das Buch.
24. wenn man verheiratet ist
25. Zeitungsgeschäfte
26. nicht *ihm*, sondern ___
28. man bucht eine ___
29. noch nicht 2 Uhr, sondern ___
    1 Uhr
31. nicht *leise*
32. Gutenberg hat die
    Buchpresse ___.

Senkrecht ⬇

1. nicht *Sie*
2. Dort spielt man Fußball.
3. keine Stadt, sondern ein ___
4. Frauenname
5. an das
6. Das trägt ein Mann im Büro.
9. keine Antwort, sondern eine ___
11. nicht *dort*
12. Er schreibt Strafzettel.
13. ein/aus/um___
14. nicht *Gewinner*
16. Regen, Schnee, Sonne, usw.
18. jemand, der Urlaub macht
19. Bei einer Feier singt man oft ___.
21. nicht *immer*
23. Tag, Rolf, wie geht's ___?
27. -10°, mir ___ kalt.
30. Bitte, mach die Tür ___!

ÜBUNG 80

Beispiel: Ist die Wohnung noch frei?
– Nein, tut mir leid.

1. Das alte Buch, das du auf dem Flohmarkt gekauft hast, ist bestimmt eine Rarität, oder?

2. Am Montag habe ich ein wichtiges Vorstellungsgespräch.

3. Gibt es in Deutschland auch Geldautomaten?

4. Ich trinke auf dein Wohl, Manfred!

5. Das Haus meines Nachbarn wurde für über 1 Million DM verkauft.

6. Ich gebe Ihnen für diesen alten Fotoapparat 60 DM.

7. Hallo, Klaus, du arbeitest auch hier?

8. Jetzt regnet es schon seit 2 Wochen.

9. Es heißt, daß unsere Firma wieder neue Mitarbeiter einstellt.

10. Möchten Sie eine Rückfahrkarte?

– Ja, sicher. Überall!

– Ach was! Davon gibt's tausende.

– Einfach, bitte.

– Viel Glück!

– So teuer? Unmöglich!

– Schrecklich!

– **Nein, tut mir leid.**

– Ja, so ein Zufall!

– Abgemacht!

– Na hoffentlich!

– Prost!

Das ist …
– der Erfinder
     Flohmarkt
     Imbißstand

– die Buchpresse
     Menge
     Rarität

– das Interesse

Warum gehen Sie nicht ins Konzert?
– Wenn wir Zeit hätten, würden wir
  ins Konzert gehen.

Gehen die Geschäfte nicht gut?
– Ich wäre zufriedener, wenn die
  Geschäfte besser gehen würden.

*Was würden Sie tun, wenn Sie mehr
Geld hätten?*
– Wenn ich mehr Geld hätte, würde
  ich mir ein neues Auto leisten.

Kaufen Sie gern Antiquitäten?
– Das Kaufen von Antiquitäten macht
  Spaß.

Darf man hier rauchen?
– Hier ist das Rauchen verboten.

*Von wem wird Heinz zur Schule
gebracht?*
– Heinz muß von Gabi zur Schule
  gebracht werden.

Konnte man Bücher billiger drucken?
– Ja, Bücher konnten billiger gedruckt
  werden.

Ausdrücke:
Die Uhr geht nicht!
Da ist nichts zu machen!
Sie machen wohl Witze!
100 DM für so eine Uhr?
Das ist sie nicht wert!
Das ist mein letztes Wort!
20 DM das Stück!
110 DM, und keinen Pfennig
  weniger!
Abgemacht!
Das kostet mich eine Menge Geld.
Ein guter Fang!
Das war nicht immer so.

KAPITEL

12

Klaus Huber trifft Gabi, die Tochter seines Nachbarn, als er zur Bushaltestelle geht.
Gabi ist 18 Jahre alt und besucht das Gymnasium.

Herr Huber: Tag Gabi, wie geht's? Was macht die Schule?

Gabi: Na ja, es geht so. Wenn ich heute keine Biologieprüfung hätte, wäre ich nicht so nervös. In Biologie bin ich nicht besonders gut. Aber in zwei Monaten ist alles vorbei!

Herr Huber: Ach richtig, du machst ja gerade Abitur ...

Gabi: Und morgen haben wir eine Prüfung in Französisch. Aber da mache ich mir keine Sorgen. Französisch ist mein Lieblingsfach.

Herr Huber: Das ist ja prima. Und was willst du nach dem Abitur machen?

Gabi: Das weiß ich noch nicht genau. Ich interessiere mich sehr für Fremdsprachen, besonders für Französisch. Vielleicht gehe ich zur Universität.

Herr Huber: Aha. Und wie lange dauert ein Sprachstudium?

Gabi: Fünf Jahre. Ich würde auch gern ein Jahr im Ausland studieren.

Herr Huber: Das wäre sicher sehr interessant ... Sprachen sind ja in den letzten Jahren immer wichtiger geworden. Sogar die Kinder in der Grundschule lernen Englisch.

Gabi: Sprechen Sie eine Fremdsprache, Herr Huber?

Herr Huber: Ich habe damals in der Schule 9 Jahre lang Englisch gelernt, aber ich habe in der Zwischenzeit viel vergessen. Wenn ich mehr Zeit hätte, würde ich nach Feierabend in einer Sprachschule mein Englisch verbessern. Aber so ... Ah, da kommt mein Bus. Dann wünsche ich dir viel Glück bei deinen Prüfungen, Gabi.

Gabi: Danke Herr Huber, auf Wiedersehen!

ÜBUNG 81

1. Gabi _____.

   a) studiert Französisch in der Schule
   b) besucht seit 18 Jahren das Gymnasium
   c) wohnt neben Hubers und geht noch in die Schule

2. Sie macht sich Sorgen, weil _____.

   a) morgen eine Französischprüfung ist
   b) sie heute in Biologie geprüft wird
   c) sie gut in Fremdsprachen ist

3. Wenn man studieren will, _____.

   a) muß man das Abitur haben
   b) muß man 9 Jahre Englisch lernen
   c) darf man 5 Jahre Sprachen studieren

4. Wenn Herr Huber Zeit hätte, würde er gern _____.

   a) wieder Englisch lernen
   b) ein Jahr im Ausland studieren
   c) nach Feierabend ins Gymnasium gehen

DAS DEUTSCHE SCHULSYSTEM

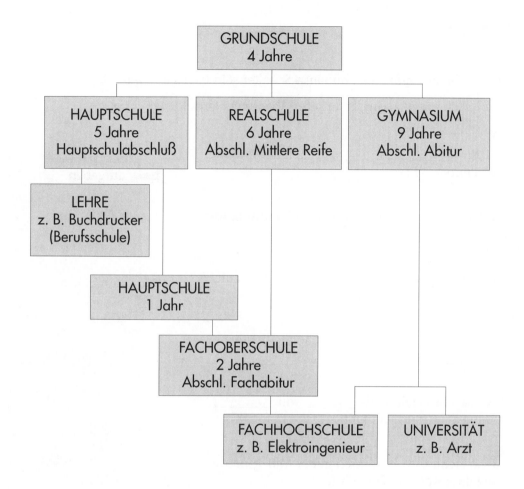

ÜBUNG 82

1. Wer darf an einer Universität studieren?

2. Wie lange muß man in die Schule gehen, wenn man das Fachabitur machen will?

3. Welchen Abschluß muß man haben, wenn man Elektroingenieur werden will?

4. Was kann ein Schüler nach dem Besuch der Grundschule tun?

ÜBUNG 83

Beispiele: Georg __*gibt*__ am Lufthansa-Schalter sein Gepäck __*auf*__.

Ich __*unterstehe*__ in unserer Abteilung Herrn Küster ___*x*___.

1. Gabi _____ sich _____ nach der Prüfung
   von ihrem Lehrer.

2. Wann _____ denn Eberhards Geburtstagsfeier
   _____?

3. Das neue Theater in der Stadt _____ nicht
   _____ wie das Kolosseum.

4. Um wieviel Uhr _____ die Sonne heute
   _____?

5. An welcher Haltestelle _____ du _____,
   wenn du zur Arbeit mußt?

6. Frau Fiedler _____ sich in der Mittagspause
   mit ihrer Kollegin Frau Basler _____.

7. Wir _____ in einem alten Hotel
   mit vielen antiken Möbeln _____.

8. _____ deinen Paß _____, bevor du
   zum Flughafen fährst.

9. Bei unseren Nachbarn _____ es laut _____, weil ihr Sohn gerade
   geheiratet hat.

10. Heute _____ Manuela den Kaufvertrag für ihr erstes Auto_____.

➤ **aufgeben**
aussehen
aussteigen
einstecken
losgehen
übernachten
untergehen
unterhalten
unterschreiben
➤ **unterstehen**
verabschieden
zugehen

ÜBUNG 84

Beispiel: **_Weißt_** du, wie teuer der neue Computer von IBM ist?

1. Ich finde, man _____ im Restaurant Florian sehr gut essen.

2. _____ Sie, wie lange man sich auf eine Führerscheinprüfung vorbereiten muß?

3. Jochens Cousin _____ nicht nur Tennis, sondern auch Fußball spielen.

4. Ich _____ leider nicht, wann dieses Jahr die Basler Fasnacht ist.

5. Meine Mutter _____ viele alte Weihnachtsbräuche.

6. _____ Sie, wann das Brandenburger Tor erbaut wurde?

7. Den neuen Kollegen, der in Berlin studiert hat, _____ wir kaum.

8. Wer _____ mir sagen, wo es in dieser Gegend eine zuverlässige Autowerkstatt gibt?

9. Niemand _____ , wann der Mietvertrag unterschrieben wurde.

10. _____ ihr die 9. Sinfonie von Ludwig van Beethoven?

11. Gabi Emke _____ besser Französisch als Englisch.

12. Wir _____ nicht genau, wo das Mozart-Konzert stattfinden wird.

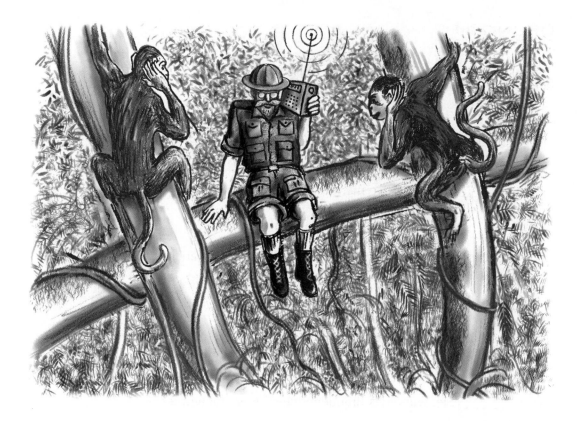

Geht es Ihnen manchmal auch so wie mir? Immer wenn ich irgendwo im Ausland in Urlaub bin, vermisse ich meine Tageszeitung. Ich kann vielleicht eine deutschsprachige Zeitung kaufen, aber die ist dann oft schon einen Tag alt. Die Zeitungen des Landes sind natürlich aktueller, aber es wird darin meistens nur wenig über Deutschland geschrieben. Wenn man aber ein kleines Kurzwellenradio im Gepäck hat, kann man immer die neuesten Nachrichten hören.

„Es ist vier Uhr Weltzeit. Wir bringen Nachrichten." So beginnen im allgemeinen die Nachrichtensendungen des Radiosenders Deutsche Welle, die man über Kurzwelle empfangen kann.

Seit 1953 sendet die Deutsche Welle jeden Tag aus Köln Nachrichten, Kommentare, Sport-, Kultur- und Wirtschaftssendungen über Deutschland. Man kann auch Wünsche der Familie oder von Freunden empfangen, wenn man im Ausland ist. Außerdem gibt es Programme für Hörer, die kein Deutsch sprechen, in 38 Fremdsprachen. Moderne Satellitentechnik und 1900 Mitarbeiter aus 65 Ländern kümmern sich darum, daß man fast überall auf der Erde die Sendungen hören kann.

Aber wie findet man bei den vielen Sendern gerade die Frequenz, auf der man die Deutsche Welle empfangen kann? Kein Problem: Informationen über die aktuellen Sendungen und Frequenzen findet der interessierte Hörer in den monatlichen Programmzeitschriften des Senders, die auf Anfrage[1] kostenlos zugeschickt[2] werden, und im Internet.

Seit 1992 gibt es auch einen Fernsehsender der Deutschen Welle, der mit der passenden Satellitenschüssel[3], in manchen Ländern auch über das Kabelfernsehen, empfangen werden kann. So kann man sich überall auf der Erde über Deutschland informieren und ist immer auf dem laufenden. Es werden von DW-tv rund um die Uhr[4] außer dem halbstündigen Nachrichten-Journal noch Informations- und Unterhaltungssendungen produziert, täglich 12 Stunden in Deutsch, 10 Stunden in Englisch und zwei Stunden in Spanisch.

[1] *auf Anfrage = wenn man anruft / schreibt, daß man etwas haben möchte*
[2] *zuschicken = jmd. etwas schicken*
[3] *Satellitenschüssel = Empfänger auf dem Haus, der wie ein Teller aussieht*
[4] *rund um die Uhr = 24 Stunden lang*

ÜBUNG 85

1. Wo kann man die Deutsche Welle empfangen?

2. Wie kann man die Deutsche Welle im Ausland empfangen?

3. Was für Sendungen kann man hören?

4. In wie vielen Sprachen sendet der Fernsehsender der Deutschen Welle?

5. Woher weiß man, wann der Sender welche Programme bringt?

6. Wie oft sendet die Deutsche Welle ihre Radio- und Fernsehprogramme?

FAHREN, FAHREND, GEFAHREN

abfahren

> Ich **fahre** um 5 **ab**.
> Ich sitze in dem **abfahrenden** Zug.
> Ich frage nach dem **abgefahrenen** Zug.

ÜBUNG 86

Beispiele: Jens wohnt in einer teuer __aussehenden__ Wohnung zur Miete. *(aussehen)*

Wir packen den __mitgebrachten__ Koffer später aus. *(mitbringen)*

1. Die für März _____ Konferenz mußte auf Oktober verschoben werden. *(planen)*

2. Hättest du mich nach den _____ Formularen gefragt, hätte ich sie dir gegeben. *(ausfüllen)*

3. Zu der jeden Herbst _____ Buchmesse kommen Besucher aus der ganzen Welt. *(stattfinden)*

4. Auf dem Flohmarkt waren die _____ Reifen nicht besonders billig. *(brauchen)*

5. Manche rund um die Uhr _____ Fernsehstationen kann man nur mit Kabelanschluß empfangen. *(senden)*

6. Wird Rolf sein _____ Geld morgen auf ein Konto einzahlen? *(sparen)*

7. Als ich krank war, wurden mir von dem _____ Arzt Medikamente verschrieben. *(untersuchen)*

8. Trotz der rechtzeitig _____ Reise war unser Flugzeug überfüllt. *(buchen)*

Die Deutsche Welle sendet in alle Länder der Erde.
→ **Es wird** in alle Länder der Erde gesendet.

Es wird im Vereinslokal kaum diskutiert.
Es <u>werden</u> immer neue Produkt<u>e</u> erfunden.

Wird viel Tennis gespielt? Ja, **es** wird …
Wurde oft gelacht? Nein, **es** wurde nicht …
Werden viele Radio<u>s</u> verkauft? Ja, **es** werden …

ÜBUNG 87

Beispiel: Die Hochzeitsgäste machen viel Lärm.
Es wird viel Lärm gemacht.

1. Man trinkt in Deutschland viel Bier.

2. Die Nachbarn feierten lange.

3. Man stellt im nächsten Jahr neue Mitarbeiter ein.

4. Bei Sonderangeboten spart man viel Geld.

5. Man vermißte eine teure Uhr.

6. In Österreich wandert man viel.

7. Am 1. Mai arbeitet man nicht.

8. Die Schüler machten viele Prüfungen.

Tschüs!

- Auf Wiedersehen, Frau Direktor! Ich wünsche Ihnen noch einen schönen Abend.
- Ich Ihnen auch, Herr Messmer. Auf Wiedersehen!

- Vielen Dank für Ihren Besuch, Herr Köhler! Es war nett, daß Sie uns einmal besucht haben.
- Es hat mich auch sehr gefreut. Auf Wiedersehen!

- Ich möchte mich verabschieden, Frau Hoffmann.
- Müssen Sie wirklich schon gehen?
- Ja, leider. Ich habe noch einen Termin.

- Kommen Sie gut nach Hause, Frau Bauer.
- Sie auch, Herr Lempert. Und schöne Grüße an Ihre Frau!
- Vielen Dank! Ich werde es ihr sagen.

- Gute Reise! Ich hoffe, Sie haben einen guten Flug.
- Das hoffe ich auch. Vielen Dank!

- Ein schönes Wochenende, Frau Sander!
- Ihnen auch. Wir sehen uns wieder am Montag.

- Wiedersehen, Jürgen!
- Tschüs, Monika! Bis morgen.

- Ich muß weg, Renate.
- Mach's gut, Detlef. Bis bald.

Das ist ...
– der Abschluß
    Anschluß
    Sender

– die Antenne
    Fremdsprache
    Prüfung
    Universität
    Unterhaltung

– das Abitur
    Fach
    Gymnasium
    Kabelfernsehen
    Programm
    Studium

Das sind ...
– die Nachrichten

Wann fahren Sie ab?
– Ich fahre um 5 ab.

Wo sitzen Sie?
– Ich sitze in dem abfahrenden Zug.

Wonach fragen Sie?
– Ich frage nach dem abgefahrenen
  Zug.

Machen die Gäste viel Lärm?
– Ja, es wird viel Lärm gemacht.

Erfindet man immer neue Produkte?
– Ja, es werden immer neue Produkte
  erfunden.

Ausdrücke:
Das wäre sicher sehr interessant.
Da mache ich mir keine Sorgen.
Das ist ja prima!
Das weiß ich noch nicht genau.
Geht es Ihnen auch so wie mir?
Was macht die Schule?
Na ja, es geht so.
Michael ist immer auf dem laufenden.

SCHREIBÜBUNGEN

Kapitel 1   A. Sie sind im Urlaub und schreiben Ihren Kollegen in der Firma eine Postkarte. (6 – 8 Sätze)

Wörter:

sind gefahren	verbringen	Halbpension
in die Berge	buchen	Essen
Gegend	Hotelzimmer	zurückkommen

B. Sie kommen im Hotel an. Was tun Sie? (6 – 8 Sätze)

Wörter:

Rezeption	Koffer	Getränk
Hotelzimmer	auspacken	frühstücken
Vollpension	Minibar	Broschüre

Kapitel 2   A. Sie haben sich verspätet. Erklären Sie, warum Sie zu spät kommen. (6 – 8 Sätze)

Wörter:

Wecker	sich beeilen	pünktlich
geklingelt	Haltestelle	verpassen
aufgewacht	langsam	Taxi

B. Schreiben Sie 6 – 8 Sätze über einen Mann, den Sie auf der Straße gesehen haben.

Wörter:

jung	attraktiv	Bart
ungefähr	Haare	tragen
… Jahre alt	blond	Anzug

Kapitel 3   A. Du bist auf einer Feier und sprichst mit Leuten, die du nicht
                     kennst. (6 – 8 Sätze)

                     Wörter:

                     kennenlernen   Sie   sich amüsieren
                     sich vorstellen   tanzen   zusammen
                     Name   du   sich verabschieden

                 B. Du bist gestern abend mit einem Freund weggegangen. Am
                     nächsten Tag erzählst du deinen Kollegen davon. (6 – 8 Sätze)

                     Wörter:

                     vorhaben   Karten   sich bedanken
                     zusammen   schenken   anschließend
                     Popkonzert   Vorstellung   Kneipe

Kapitel 4   A. Sie gehen einkaufen. Was wollen Sie kaufen, und wohin müssen
                     Sie gehen? (6 – 8 Sätze)

                     Wörter:

                     Geldautomat   Supermarkt   Reinigung
                     holen   alles   Tankstelle
                     Lebensmittel   außerdem   leer

                 B. Sie fahren mit dem Auto in die Stadt und müssen einen Parkplatz
                     suchen. (6 – 8 Sätze)

                     Wörter:

                     Hauptverkehrszeit   Parkverbot   Strafzettel
                     Fußgängerzone   dürfen   Tiefgarage
                     anhalten   Schild   frei

Kapitel 5

A. Sie arbeiten bei einer Export/Importfirma. Schreiben Sie 6 – 8 Sätze über Ihre Firma.

Wörter:

herstellen	Umsatz	Messe
überall	gestiegen	ausstellen
exportieren	Durchschnitt	Aufträge

B. Wofür ist eine Sekretärin zuständig? Schreiben Sie 6 – 8 Sätze.

Wörter:

kümmert sich um	Bericht	schicken
Unterlagen	empfangen	Faxgerät
ordnen	darum	organisieren

Kapitel 6

A. Schreiben Sie 6 – 8 Sätze über eine Urlaubsreise, die Sie machen werden. Benutzen Sie diese Wörter:

buchen	Ausland	Strand
allein	bequem	schwimmen
zum ersten Mal	genießen	Meer

B. Sie treffen sich nach der Arbeit mit Freunden. Worüber unterhalten Sie sich? Schreiben Sie 6 – 8 Sätze, und benutzen Sie diese Wörter:

Wochenende	Familie	am schönsten
Freizeit	gemeinsam	verbringen
sich ausruhen	denn	draußen

Kapitel 7   A.   Schreiben Sie über das Wetter in den 4 Jahreszeiten (6 – 8 Sätze).
Benutzen Sie diese Wörter:

Frühling	warm werden	sich ändern
spazierengehen	Herbst	Winter
Sommer	windig	es schneit

B.   Schreiben Sie 6 – 8 Sätze über ein Spiel, das Sie gesehen haben.
Benutzen Sie diese Wörter:

interessant	Spieler	verlieren
Mannschaft	kämpfen	Zuschauer
gewinnen	trotzdem	enttäuscht

Kapitel 8   A.   Schreiben Sie 6 – 8 Sätze über Ihre Wohnung / Ihr Haus.
Benutzen Sie diese Wörter:

zur Miete	außerhalb	bezahlen
Balkon	Möbel	Vermieter
gelegen	besitzen	nett

B.   Wie ist die Wohnungssituation in Ihrer Stadt? Schreiben Sie
6 – 8 Sätze, und benutzen Sie diese Wörter:

2-Zi.-Wohnung	Innenstadt	Nebenkosten
unmöbliert	Miete	rechnen mit
Hochhaus	doppelt so	mindestens

Kapitel 9   A.   Erzählen Sie einem Freund von der Basler Fasnacht. Schreiben Sie
6 – 8 Sätze, und benutzen Sie diese Wörter:

Brauch	Maske	sich lustig machen
verkleiden	Gesicht	die Meinung sagen
verstecken	losgehen	vorbei

B.   Spricht man überall Hochdeutsch? Schreiben Sie 6 – 8 Sätze,
und benutzen Sie diese Wörter:

weltweit	verschieden	verstehen
Volksgruppen	Dialekte	deutlich
höre sprechen	Unterschied	langsam

Kapitel 10 A. Sie planen für jemanden eine Geburtstagsfeier. Schreiben Sie 6 – 8 Sätze, und benutzen Sie diese Wörter:

einladen	Essen	tanzen
Überraschung	Musik	lachen
feiern	singen	lustig

B. Was für Hobbys haben Sie? Schreiben Sie 6 – 8 Sätze, und benutzen Sie diese Wörter:

Freizeit	spielen	stattfinden
sammeln	sich treffen	Verein
macht Spaß	regelmäßig	Aktivitäten

Kapitel 11 A. Sie erzählen einem Freund, daß Sie einen antiken Fotoapparat gekauft haben, den Sie in einer Zeitungsanzeige gesehen hatten. Schreiben Sie 6 – 8 Sätze, und benutzen Sie diese Wörter:

sammeln	funktioniert	verhandeln
gebraucht	ziemlich	Menge Geld
Rarität	wert sein	sparen

B. Was würden Sie tun, wenn Sie sehr viel Geld gewinnen würden? Benutzen Sie diese Wörter:

hätte/wäre/würde	Haus bauen lassen	reisen
Antiquitäten	in Zukunft	Konto
sich leisten	Hobby nachgehen	bis dahin

Kapitel 12 A. Sie nehmen jetzt schon seit einiger Zeit Deutschunterricht. Was finden Sie besonders schwierig? Schreiben Sie 6 – 8 Sätze, und benutzen Sie diese Wörter:

einfach	Satz	am schwierigsten
wiederholen	vergessen	verstehen
Antwort	erinnern	Dialekt

B. Schreiben Sie 6 – 8 Sätze über eine Prüfung, die Sie einmal gemacht haben. Benutzen Sie diese Wörter:

denken an	lernen	sich Sorgen machen
Prüfung	ziemlich	bestanden
sich vorbereiten	überrascht	glücklich

LÖSUNGSSCHLÜSSEL

Übung 1   1. Sie stellen ihren Wagen auf den Parkplatz. 2. Sie haben ein Doppelzimmer mit Bad und Vollpension reserviert. 3. Sie möchten gern die Stadt sehen. 4. Sie fragt nach einer Broschüre mit Informationen. 5. Sie fahren normalerweise immer ans Meer, nach Spanien oder Italien. 6. Sie werden noch nach St. Anton am Arlberg fahren und von dort ein paar Ausflüge ins Ötztal und in die Dolomiten machen.

Übung 2   1. Ich werde in einer Stunde ins Büro gehen. 2. Werden Sie ein Taxi zum Flughafen nehmen? 3. Wir werden nicht um 15 Uhr in Stockholm ankommen. 4. Wird Rainer am Montag in die Firma gehen? 5. Morgen wird keine Maschine von Frankfurt nach Hongkong fliegen. 6. Werden Genschers mit Ihnen nach Frankreich reisen? 7. Jochen wird nächste Woche nicht mit aufs Land fahren. 8. Frau Sommer wird im voraus ein Zimmer in Wien reservieren.

Übung 3   Im August **werden** wir in die Schweiz **fahren**. Wir wollen dort schon lange einmal Urlaub machen. Diesmal **werden** wir mit unserem Auto **reisen**, weil wir bei Freunden, die in St. Gallen, in der Nähe des Bodensees wohnen, **vorbeifahren werden**. Wir **werden** ein paar Tage mit ihnen **verbringen** und wollen dann nach Weggis am Vierwaldstätter See fahren. In Weggis **werden** wir ungefähr eine Woche **bleiben**. Wir **werden** auch einen Ausflug nach Luzern **machen**. Dort **werden** wir die schönen Brücken **besuchen** und Luzerns Altstadt, die 800 Jahre alt ist. Bevor es nach Hause geht, **werden** wir noch in der Bahnhofstraße in Zürich **vorbeifahren** und **werden** ein paar Souvenirs **kaufen**, die wir unseren Kindern **mitbringen werden**. Von Zürich **werden** wir dann über Schaffhausen zurück nach Deutschland **fahren**.

Übung 4   1. Viel Spaß! 2. Wie wär's mit morgen? 3. Sehr elegant. 4. Noch nicht. 5. Wird gemacht! 6. Kommt sofort! 7. Danke, ausgezeichnet. 8. Das macht 44,20 DM! 9. Ich bin leider auch nicht von hier. 10. Am Apparat!

Übung 5   1. Er muß zu einer Besprechung nach London reisen. 2. Er ist oft für seine Firma unterwegs. 3. Er wird zwei Tage in England bleiben. 4. Er wird am Donnerstag zurückkommen. 5. Er hat am Abend noch ein Geschäftsessen. 6. Er wird bei Freunden übernachten. 7. Er kann im Royal wohnen. 8. Er wird in 10 Minuten zurückrufen.

Übung 6   1. fährt mit 2. anprobieren 3. verschieben 4. abgesagt 5. reserviere 6. mitbringen 7. angerufen 8. hinterlassen 9. verbinden 10. einpacken

Übung 7   1. c. der 2. b. aufs 3. c. ins 4. b. die meisten 5. b. machen 6. a. in 7. c. im 8. b. wer 9. c. die 10. c. macht

Übung 8	1. Er ist zu spät aufgewacht, weil sein Wecker nicht geklingelt hat. 2. Er zieht sich an und packt. 3. Er fährt mit dem Taxi. 4. Es kann nicht schnell fahren, weil viele Leute mit dem Auto unterwegs zur Arbeit sind. 5. Er bezahlt, gibt dem Taxifahrer ein Trinkgeld und geht zum Lufthansa-Schalter. 6. Er braucht keinen Koffer aufzugeben, weil er nur Handgepäck hat. 7. Er muß zum Flugsteig gehen. 8. Er kann nicht um 10 Uhr nach Warschau fliegen, weil die Maschine sich verspätet.
Übung 9	A. 1. sich ... gelegt 2. zieht sich ... an 3. setze mich 4. sich ... gefreut 5. uns verspäten
	B. 1. Nach dem Mittagessen will ich mich hinlegen. 2. Dieses Jahr können wir uns wirklich auf unseren Urlaub in Portugal freuen. 3. Jetzt kann sie sich hinsetzen! 4. Diese Woche darf ich mir Giselas neues Auto ansehen. 5. Wenn unsere kleine Tochter morgens aufsteht, will sie sich nicht kämmen.
Übung 10	1. teilnehmen 2. mitgegangen 3. verschieben 4. verpasse 5. aufgewacht 6. übernachtet 7. verbringen 8. mitteilen 9. angekommen 10. aufgeben
Übung 11	1. Er geht nicht arbeiten, weil er sich nicht wohl fühlt. 2. Er hat besonders starke Magenschmerzen. 3. Er kann ihn nicht sofort sehen, weil sein Arzt heute viele Patienten hat. 4. Er zieht sein Hemd aus. 5. Er hat eine Grippe und auch etwas Fieber. 6. Er soll den Arzt anrufen.
Übung 12	1. das 2. die 3. den 4. den 5. die 6. den 7. den 8. die 9. den 10. das
Übung 13	1. Praxis 2. groß 3. jährige ... Haare ... Bart 4. Patienten 5. seit 6. Apotheke 7. Jahre alt ... hübsch 8. blonden ... jünger
Übung 14	1. Sie lernte Georg im Urlaub kennen. 2. Er kommt aus Linz. 3. Sie fuhr nach Österreich, um Urlaub zu machen. 4. Sie rief an, um Anita zu fragen, ob sie mit Georg und ihr ausgehen möchte. 5. Sie wird ihre Freundin vielleicht im Juli besuchen.
Übung 15	Er **wartete** schon am Bahnhof auf sie. Er **sagte** ihnen guten Tag und **fragte**, ob sie eine gute Reise **hatten**. Zuerst **gingen** sie in die Stadt, und Max **zeigte** ihnen den Marktplatz mit seinen schönen alten Häusern. Bevor sie in seine Wohnung **fuhren**, **gingen** sie in ein Café am Rhein und **tranken** etwas. Am nächsten Tag **arbeitete** Max, und Georg und Kerstin **fuhren** nach Rhöndorf, in der Nähe von Bonn, um das Adenauer-Haus zu besuchen. In dem Fahrkartenautomaten an der U-Bahnhaltestelle **gab** es rote, grüne und weiße Fahrkarten. Jetzt **wußten** sie natürlich nicht, welche Fahrkarten sie **brauchten**. Und

Übung 15 *(Fortsetzung)*	der Fahrplan **war** auch nicht einfach zu verstehen. Eine Frau, die zufällig neben ihnen **stand**, **wußte** es leider auch nicht. Also **gingen** sie zur Auskunft, um den Mann hinter dem Schalter zu fragen. Er **schrieb** etwas auf dem Computer und **sagte** ihnen dann, daß ihre U-Bahn in 5 Minuten abfährt und daß eine Fahrkarte 5,20 DM kostet. Georg und Kerstin **bezahlten** und **nahmen** dann die nächste U-Bahn. 40 Minuten später **waren** sie in Rhöndorf. Und was **sahen** sie, als sie am Konrad-Adenauer-Haus **ankamen**? An der Tür **hing** ein Schild: „Heute geschlossen!" So ein Pech!
Übung 16	1. Kerstin ruft Gerda an, weil sie zwei Theaterkarten hat. 2. Er kann nicht mitkommen, weil er am Tag der Vorstellung geschäftlich nach München fahren muß. 3. Sie werden sich „Die Dreigroschenoper" von Bertolt Brecht ansehen. 4. Sie ist im Landestheater. 5. Sie werden in der Nähe noch etwas trinken. 6. Gerda fand „Die Dreigroschenoper" großartig. 7. Sie werden sich in Kerstins Wohnung sehen. 8. Kerstin wird Georg mitbringen.
Übung 17	1. dich 2. du 3. ihr eurem 4. euer 5. dir … deine 6. deiner 7. ihr eure 8. du deinem
Übung 18	Lieber Franz, ich will mich bei **Dir** noch einmal für **Deine** Einladung bedanken und für die netten Tage, die wir bei **Dir** in Linz verbracht haben. **Deine** Stadt hat uns wirklich sehr gut gefallen. Das Restaurant an der Donau, das **Du** uns empfohlen hast, war ausgezeichnet. Wir möchten **Dich** gern einmal wieder besuchen, wenn **Du** Zeit hast. Aber vielleicht willst **Du** einmal etwas von Berlin sehen? Wir zeigen **Dir** gern das Brandenburger Tor, und anschließend fahren wir zum Kurfürstendamm. Wenn **Du** möchtest, kannst **Du** auch mit uns ein paar Tage am Wannsee verbringen. Also, wie wär's? Hast **Du** nicht Lust, einmal zu kommen? Natürlich kannst **Du Deinen** Hund mitbringen. Und noch einmal, vielen Dank an **Dich** und **Deine** Familie. **Deine** … Liebe Elisabeth, lieber Franz, ich will mich bei **Euch** noch einmal für **Eure** Einladung bedanken und für die netten Tage, die wir bei **Euch** in Linz verbracht haben. **Eure** Stadt hat uns wirklich sehr gut gefallen. Das Restaurant an der Donau, das **Ihr** uns empfohlen habt, war ausgezeichnet. Wir möchten **Euch** gern einmal wieder besuchen, wenn **Ihr** Zeit habt. Aber vielleicht wollt **Ihr** einmal etwas von Berlin sehen? Wir zeigen **Euch** gern das Brandenburger Tor, und anschließend fahren wir zum Kurfürstendamm. Wenn **Ihr** möchtet, könnt **Ihr** auch mit uns ein

Übung 18 (Fortsetzung)	paar Tage am Wannsee verbringen. Also, wie wär's? Habt **Ihr** nicht Lust, einmal zu kommen? Natürlich könnt **Ihr** Euren Hund mitbringen. Und noch einmal, vielen Dank an **Euch** und **Eure** Familie.
	<div align="center">**Eure** …</div>

Übung 18
(Fortsetzung)

paar Tage am Wannsee verbringen. Also, wie wär's? Habt **Ihr** nicht Lust, einmal zu kommen? Natürlich könnt **Ihr** Euren Hund mitbringen. Und noch einmal, vielen Dank an **Euch** und **Eure** Familie.

Eure …

Übung 19

1. Wir werden uns nicht am Flughafen treffen. 2. Schreibt ihr euch manchmal? 3. Morgen werden sie sich kennenlernen. 4. Letzte Woche habt ihr euch jeden Abend gesehen. 5. Sind sie sich in der Stadt begegnet? 6. Wir unterhalten uns über einen neuen Film. 7. Treffen sie sich in der Picasso-Ausstellung? 8. Früher habt ihr euch oft angerufen.

Übung 20

1. Er ist in Frankfurt, weil er dort für seine Firma arbeiten wird. 2. Er möchte gern ein Konto eröffnen. 3. Er muß ihr seinen Paß zeigen. 4. Sie braucht seine Adresse, seine Telefonnummer und Name und Anschrift seiner Firma. 5. Er wohnt im Hotel Mainblick am Sachsenhäuser Berg. 6. Er muß der Bank seine neue Adresse mitteilen. 7. Er läßt kanadische Dollar wechseln. 8. Er will wissen, ob es in der Nähe einen Supermarkt gibt.

Übung 21

1. Nein, er ließ sie von seiner Sekretärin schreiben. 2. Nein, er läßt sie von Frau Bauer buchen. 3. Nein, ich werde ihn von der Reinigungsfirma reinigen lassen. 4. Nein, wir haben sie von meinem Freund machen lassen. 5. Nein, er läßt sich von seinem Arzt untersuchen. 6. Nein, wir haben ihn von einem Fotogeschäft entwickeln lassen. 7. Nein, ich lasse ihn vom Reisebüro reservieren. 8. Nein, wir ließen es vom Zimmerservice aufs Zimmer bringen. 9. Nein, sie hat es von Thomas in die Reinigung bringen lassen. 10. Nein, sie ließ es von Herrn Fraser unterschreiben.

Übung 22

1. Sie ist am Sonntag geschlossen. 2. Ich muß nur die Abzüge bezahlen, die mir gefallen. 3. Man kann deutsche und internationale Lebensmittel kaufen. 4. Er dauert weniger als eine Stunde. 5. Man muß weniger als 2 Stunden warten.

Übung 23

1. Fotogeschäft 2. Formular 3. Innenstadt 4. Bäckerei 5. Metzgerei … Fischgeschäft 6. Supermarkt 7. Reinigung 8. Wechselkurs 9. Konditorei 10. Werkstatt

Übung 24

1. Er war in Wiesbaden, weil er eine Besprechung hatte. 2. Er will sich eine Wohnung ansehen. 3. Er tankt, geht zur Kasse und bezahlt. 4. Er fragt ihn, wie er nach Bockenheim kommt. 5. Bis zur Autobahnausfahrt sind es ungefähr 10 Kilometer. 6. Er findet ihn nicht, weil er sich verfahren hat. 7. Er will jemanden fragen. 8. Er will Pauls Führerschein sehen.

Übung 25	1. c. muß 2. b. will 3. c. kann 4. c. soll 5. b. muß 6. a. muß
Übung 26	1. billig 2. verkaufen 3. zieht ... aus 4. landen 5. nicht mehr 6. langsam 7. noch nicht 8. gefunden 9. verspätet 10. absagen
Übung 27	1. a 2. c 3. a 4. b 5. c
Übung 28	1. b. steht 2. a. angehalten 3. b. verschreiben 4. c. gestiegen 5. a. kümmern 6. c. verpaßt 7. b. liegt 8. c. ausfüllen
Übung 29	1. Ich werde mich diese Woche darum kümmern. 2. Nein, sie ist nicht mit ihm zufrieden. 3. Ja, man spricht darüber. 4. Er wohnt seit September mit ihr in Stuttgart. 5. Nein, er hält nicht viel von ihm. 6. Ja, ich habe Lust, mit dir in Urlaub zu fahren. 7. Es hat 8000 DM dafür bezahlt. 8. Ich habe ihm nie davon erzählt.
Übung 30	1. gekauft 2. tanken 3. Geschenk 4. reinigen 5. Angebot 6. unterschreiben 7. Wecker 8. Reise 9. besuchte 10. bestellt
Übung 31	1. Sie hat sich um die Stelle als Assistentin für Herrn Schulte beworben. 2. Sie hat ein Vorstellungsgespräch. 3. Herr Schulte ist der Marketingdirektor. 4. Die Firma Wiemer ist eine kleine Werbeagentur. 5. Sie ist die Sekretärin des Firmendirektors. 6. Sie möchte etwas mehr Verantwortung und mehr Kontakt mit Kunden aus dem Ausland haben. 7. Es ist wichtig, weil sie sich um die Korrespondenz aus England und den USA kümmern muß. 8. Sie wird es in ein paar Tagen wissen.
Übung 32	1. der 2. dem 3. denen 4. dem 5. der 6. der 7. dem 8. denen
Übung 33	1. abheben 2. gefunden 3. vergessen 4. angezogen 5. Vorteil 6. gefallen 7. auspacken 8. geöffnet
Übung 34	1. wenn 2. Als 3. als 4. wenn 5. Als 6. wenn 7. als 8. wenn
Übung 35	1. a 2. b 3. b 4. c 5. b
Übung 36	1. konnte 2. wollten 3. konnte 4. mußte 5. mußte 6. Konntest 7. wollte 8. Konnten 9. konnte 10. mußten
Übung 37	1. mit 2. bei 3. auf 4. für 5. nach 6. auf 7. An 8. an 9. von 10. über
Übung 38	**Waagrecht:** 1. es 2. Zimmer 6. bunt 10. Prost 11. Praxis 14. Eis 15. Autobahn 18. Tee 19. krank 23. gab 26. Einkaufspassage 28. Bus 29. feier 31. kam 32. an 33. Ruhr 34. notwendig
	Senkrecht: 1. er 3. Magen 4. eins 5. vor 7. umsteigen 8. traf 9. Arzt 12. alt 13. las 16. blond 17. an 19. Koffer 20. Deutsch 21. langsam 22. Vater 24. Bett 25. Fieber 27. Arbeit 30. Tag

Übung 39   1. Die meisten Leute kommen mit dem Auto zur Arbeit. 2. Von 1970 bis 1995 ist der Personenverkehr um mehr als 50% gestiegen. 3. Man glaubt, daß der Personenverkehr noch um 30% steigen wird. 4. Man hat sie gebaut, um den Autoverkehr zu reduzieren. 5. Man parkt auf einem Park+Ride-Platz, um dann in einen Bus oder eine Straßenbahn umzusteigen. 6. Man kann auch mit öffentlichen Verkehrsmitteln fahren. 7. In der Urlaubszeit gibt es kilometerlange Staus auf den Autobahnen. 8. Der Autofahrer fährt mit dem Zug, und das Auto fährt auf einem Waggon mit.

Übung 40   1. der kürzeste 2. die billigsten 3. die größte 4. am wichtigsten 5. das kleinste 6. am schnellsten

Übung 41   1. soviel ... wie 2. nicht nur ... sondern auch 3. um ... zu 4. sondern 5. Bevor 6. wenn 7. denn 8. Als

Übung 42   1. geflogen 2. angerufen 3. Sprachen 4. ausgestellt 5. leitet 6. Reinigung 7. getränk 8. gefrühstückt

Übung 43   1. Sie haben ein paar Freunde zu einem Picknick eingeladen und wollen gemeinsam aufs Land fahren. 2. Es regnet in Strömen. 3. Sie sagen nicht ab, weil sie schon die Leute eingeladen und das Essen eingekauft haben. 4. Sie hat die Wettervorhersage im Radio gehört. 5. Gegen Mittag soll es aufhören zu regnen. 6. Sie werden die anderen anrufen und sich in Anitas Wohnung treffen.

Übung 44   1. bist ... groß geworden 2. ist ... teurer geworden 3. Wirst ... fertig 4. ist ... Präsident geworden 5. wird ... Firmenchef 6. sind ... naß geworden 7. wird ... Vorgesetzte 8. ist ... spät geworden

Übung 45   A. 1. In Zermatt wird es schneien. 2. Im Westen wird es regnen. 3. In Bern ist es auch bewölkt. 4. In Basel scheint die Sonne.

B. Es wird frieren, mit **Temperaturen** von ungefähr 0° C. Am Sonntag wird die Temperatur **unter Null** fallen, aber wir werden auch ein bißchen **Sonne** sehen. Montag und Dienstag wird es wieder **bewölkt** sein, und es wird anfangen zu **regnen**. In der Genfer Gegend wird der **Regen** nicht vor Donnerstag aufhören.

Übung 46   1. Wegen der Besprechung 2. Während des Konzerts 3. Wegen des Verkehrs 4. trotz der Erkältung 5. während des Picknicks 6. Trotz der Verkehrsschilder 7. wegen der guten Umsätze 8. trotz der neuen Stelle

Übung 47   1. Sie kämpfen um Medaillen. 2. Es dauerte fast 1500 Jahre. 3. Es nahmen nur Griechen teil. 4. Man hat sie als unchristlich verboten. 5. Es gibt sie alle vier Jahre.

Übung 48   1. irgendwo 2. irgendwann 3. nirgendwo 4. Irgendjemand 5. irgendwas 6. irgendeiner

Übung 49   1. Kommt nicht in Frage! 2. Amüsiert euch gut. 3. Herzlichen Glückwunsch. 4. Worum handelt es sich denn? 5. Aber nur, wenn es nicht regnet. 6. Mir geht es auch nicht so besonders. 7. Ganz meinerseits. 8. Gern, danke für die Einladung. 9. Das ist aber schade. 10. Alles klar! Bis dann.

Übung 50   1. b. treffen 2. c. hinterlassen 3. a. verschrieben 4. c. bleibe 5. a. steht 6. a. treiben 7. b. bewerben 8. c. sieht

Übung 51   1. Er geht den Anzeigenteil der *Frankfurter Rundschau* durch. 2. Er fragt, ob die Wohnung noch frei ist. 3. Er sieht sie sich nicht an, weil sie schon vermietet ist. 4. Er muß 1500 DM und die Nebenkosten im Monat bezahlen. 5. Nebenkosten sind die Kosten für Strom und Heizung.

Übung 52   Sie hat bis jetzt keine Wohnung gefunden und wohnt im Moment noch in einem **möblierten** Zimmer, das sie für einen Monat **gemietet** hat. Petra möchte lieber etwas **außerhalb** wohnen, denn in der Stadt sind die **Mieten** oft doppelt so hoch wie in einem Vorort.

Als sie am Wochenende die **Anzeigen** in der Zeitung durchgeht, sieht sie eine 2-Zimmer-Wohnung mit **Balkon** am **Ortsrand** von München, die nur 800 DM **kalt** kostet. Sie ruft gleich den **Vermieter** an. Die Wohnung ist noch **frei**, und der Besitzer, mit dem Petra am Telefon spricht, gibt ihr die Informationen, die sie haben möchte.

Er sagt ihr, wie **hoch** die **Nebenkosten** sind und daß Petra mit **mindestens** 200 DM **im** Monat **rechnen** muß. Die Wohnung hat keine besonders große **Küche**, aber sie hat eine schöne **Lage** mit wenig Verkehr. Sie **liegt** auch nicht weit von einer Bushaltestelle, und es gibt ein kleines Einkaufszentrum in der Nähe.

Nachdem sich Petra mit dem Vermieter **getroffen** hat und sich die Wohnung angesehen hat, möchte sie am liebsten heute noch den **Mietvertrag** unterschreiben. Aber es gibt noch ein paar andere Leute, die sich für die Wohnung **interessieren**.

Übung 53   1. Mein alter Freund, mit dem ich in Berlin zur Schule gegangen bin, wird nicht zu meiner Geburtstagsfeier kommen. 2. Wird Herr Lauterbach, mit dem du fünf Jahre zusammengearbeitet hast, seine Stelle verlieren? 3. Die Firma Schneider, bei der sich Christian beworben hat, hat eine Anzeige in der Zeitung geschaltet. 4. Der Vermieter, mit dem wir gestern gesprochen haben, hat immer noch nicht angerufen. 5. Günter hat die Dürer-Ausstellung, von der wir begeistert waren, gestern besucht. 6. Der Arzt, zu dem ihr viele Jahre

Übung 53 *(Fortsetzung)*	gegangen seid, hat letzten Monat seine Praxis geschlossen. 7. Hier sind die Unterlagen, nach denen Sie heute morgen gefragt haben. 8. Marianne wird sich mit einer Kollegin, von der sie eine Einladung bekommen hat, in Paris treffen.
Übung 54	1. Abteilungsleiterin 2. Mietvertrag 3. Bewerbungsunterlagen 4. Fußballspiel 5. Hausbesitzer 6. Geschäftsreisen 7. Vorstellungsgespräch 8. Berufserfahrungen
Übung 55	1. c 2. a 3. a 4. a 5. c
Übung 56	1. gelernte 2. empfohlene 3. verlorene 4. geplante 5. bestellten 6. gekaufte 7. ausgepackte 8. verschriebene
Übung 57	1. gewinnt 2. gesund 3. importiert 4. Ortsrand 5. kalt 6. steigt 7. allein 8. Vermieter 9. teurer 10. begeistert
Übung 58	1. Er hatte sie letztes Jahr im Urlaub kennengelernt. 2. Er fuhr mit dem Zug. 3. Sie fuhren mit ihm in ihre Wohnung und erzählten ihm von der Basler Fasnacht. 4. Man feiert sie im Frühling. 5. Man feiert sie seit der Römerzeit. 6. Früher verkleideten sich die Sklaven als Herren und umgekehrt. 7. Sie tragen Masken, weil sie so jedem die Meinung sagen können und sich über die Freunde, Nachbarn und ihren Chef lustig machen können. 8. Sie fängt um 4 Uhr morgens in der Altstadt an.
Übung 59	1. angefangen hatte 2. gefahren warst 3. geparkt hatte 4. geflogen waren 5. gezogen waren 6. waren … gegangen
Übung 60	1. ankamen 2. hatte … vermietet 3. hatten … gebucht 4. abgefahren war 5. bekam 6. mitgenommen hatten 7. fuhr 8. warst … gegangen
Übung 61	1. a. Jetzt 2. b. etwas 3. c. bevor 4. a. manchmal 5. b. schon 6. b. Bis 7. a. lange 8. c. Nachdem
Übung 62	1. Man spricht im Elsaß Deutsch. 2. Weggli sind Brötchen. 3. Man sagt *Grüß Gott.* 4. Außer Deutsch spricht man Französisch. 5. Man fragt *Welche Zeit haben Sie?* 6. Schlarpen sind Schuhe. 7. Man sagt *Auf Wiederluege.* 8. In Österreich sagt man *Dirndl* oder *Mädel.*
Übung 63	1. Ihres modischen Kostüms 2. unserer ältesten Tochter 3. der teuersten Wohnung 4. des italienischen Restaurants 5. meines großen Schreibtischs 6. eines billigen Hotels 7. des größten Kaufhauses der Stadt 8. der englischen Zeitung
Übung 64	1. mitgebracht 2. abgehoben 3. mitgenommen 4. einladen 5. aufgeben 6. aufgewacht 7. absagen 8. aufstehen 9. vorstellen 10. eingepackt

Übung 65	1. Sie gehen nach der Arbeit ein Bier trinken. 2. Sie ist zu einer Hochzeit eingeladen. 3. Er weiß es nicht, weil es ein alter deutscher Brauch ist. 4. Er wird normalerweise im Haus der Braut gefeiert. 5. Man sagt, das bringt dem Brautpaar Glück. 6. Das Brautpaar muß gemeinsam die Scherben zusammenkehren. 7. Es gibt keine Probleme, weil die Nachbarn zu der Feier eingeladen werden. 8. Er trinkt auf das Brautpaar.
Übung 66	1. wird … repariert 2. wurde … gesprochen 3. wird … geschickt 4. wurde … gebaut 5. wurden … benutzt 6. wurden … entwickelt 7. wird … gefeiert 8. wurde … geplant
Übung 67	1. Das größte Fußballstadion wurde 1934 in Prag gebaut. 2. Seit 1894 werden von Daimler-Benz auch Autobusse hergestellt. 3. Der größte Diamant wurde 1905 in Südafrika gefunden. 4. In Papua-Neuguinea werden über 800 Sprachen gesprochen. 5. Die Wiener Staatsoper wurde von 1956 bis 1964 von Herbert von Karajan geleitet. 6. Das erste deutsche Wörterbuch wurde 1854 von den Brüdern Grimm geschrieben. 7. Im Jahr 2000 werden die Olympischen Spiele in Sidney, Australien, eröffnet. 8. Die meisten Goldmedaillen wurden bei der Olympiade 1972 von dem Schwimmer Mark Spitz gewonnen.
Übung 68	1. c. aus 2. b. von 3. a. zu 4. a. mit 5. b. über 6. a. um 7. b. von 8. a. vom
Übung 69	1. c 2. c 3. a 4. c 5. b
Übung 70	1. wartenden 2. ausstellenden 3. kommenden 4. parkenden 5. leitenden 6. steigenden 7. laufendem 8. teilnehmende 9. klingelnden 10. stattfindenden
Übung 71	1. Wettervorhersage 2. Parkverbot 3. leitet … Firma 4. Gesellschaftsspiel 5. Wechselkurs 6. Fahrradfahren 7. Mietvertrag 8. Sportveranstaltungen
Übung 72	1. a. folgen 2. b. aufgeben 3. c. handelt 4. c. stellen 5. a. an 6. b. durch 7. c. gesagt 8. a. gemacht
Übung 73	1. Sie ist so teuer, weil sie eine Rarität ist, aus den 40er Jahren. 2. Er ist nicht bereit, 150 DM zu bezahlen, weil die Uhr nicht geht. 3. Er bezahlt 110 DM. 4. Er würde mindestens doppelt soviel bezahlen. 5. Sie ist aus Leder. 6. Sie wurde in Marokko hergestellt. 7. Er bestellt eine Portion Pommes frites an einem Imbißstand. 8. Er kann sie nicht bezahlen, weil er nur eine leere Brieftasche und eine alte Uhr in seinen Taschen findet.

Übung 74   1. Wenn unsere Mannschaft das Spiel gewinnen würde, würde sie eine Medaille bekommen. 2. Wenn du Leiter der Personalabteilung wärst, würdest du mehr Angestellte einstellen. 3. Wenn ihr ein paar Tage frei hättet, würdet ihr nach Rio fliegen. 4. Wenn ich Raritäten auf dem Flohmarkt kaufen würde, würde ich eine Menge Geld sparen. 5. Wenn meine Freunde sich verlaufen würden, würden sie nach dem Weg fragen. 6. Wenn wir auf der Autobahn kein Benzin mehr hätten, würden wir ein Auto anhalten. 7. Wenn Sven in Wien wäre, würde er sich den Prater ansehen. 8. Wenn du keine Berufserfahrung hättest, würdest du die Stelle nicht bekommen.

Übung 75   1. Ich würde in die Berge fahren, wenn ich Urlaub hätte. 2. Wenn Linda einen Zugfahrplan hätte, würde sie nicht am Bahnhof anrufen. 3. Wenn Frankfurt nicht verkehrsgünstig liegen würde, würden dort nicht viele Messen stattfinden. 4. Man würde eine Anzeige schalten, wenn man einen Verkaufsleiter suchen würde. 5. Ich würde diese antike Uhr nicht kaufen, wenn sie nicht handgemacht wäre. 6. Wenn Ihr Telefon nicht kaputt wäre, würden Sie nicht meins benutzen. 7. Wenn mein Auto nicht in der Werkstatt wäre, würde ich Martina vom Flughafen abholen. 8. Wenn der Umsatz steigen würde, würde die Personalabteilung Leute einstellen.

Übung 76   1. Tanken 2. Wohnen 3. Schreiben 4. Reisen 5. Aussehen 6. Mitbringen 7. Ausfüllen 8. Entwickeln

Übung 77   1. Es dauerte so lange, weil alles mit der Hand geschrieben werden mußte. 2. Es konnten sich nur Leute, die sehr viel Geld hatten, Bücher leisten. 3. Es erschien 1455. 4. Nach der Erfindung des Buchdrucks konnten sich mehr Leute Bücher leisten, weil sie billiger waren. 5. Die nächste wichtige Erfindung war die Schnelldruckmaschine. 6. Sie brauchte eine Stunde.

Übung 78   1. Kann auf dem Flohmarkt immer über den Preis verhandelt werden? 2. Das Öl muß bei einem Auto regelmäßig gewechselt werden. 3. Das geplante Hochhaus konnte auf dem Grundstück neben unserer Firma von der Leona AG gebaut werden. 4. Am Polterabend durfte von den Gästen viel Lärm gemacht werden. 5. Die Technik von benzinsparenden Autos konnte verbessert werden. 6. Hat Frau Kunkel gesagt, daß dieser Brief heute noch von Ihnen nach Frankfurt geschickt werden soll? 7. Geldautomaten können auch nachts benutzt werden. 8. Bevor wir die Wohnung bekommen, muß der Mietvertrag von uns unterschrieben werden.

Übung 79   **Waagrecht:** 5. auf 7. unterhalten 8. Hafen 10. Leder 12. prima 15. Kino 17. unterschreiben 20. genau 22. ihm 24. Ehe 25. Kioske 26. ihr 28. Reise 29. erst 31. laut 32. erfunden

Übung 79 *(Fortsetzung)*	**Senkrecht:** 1. du 2. Stadion 3. Land 4. Uta 5. ans 6. Anzug 9. Frage 11. hier 12. Polizist 13. steigen 14. Verlierer 16. Wetter 18. Tourist 19. Lieder 21. nie 23. dir 27. ist 30. zu
Übung 80	1. Ach was! Davon gibt's tausende. 2. Viel Glück! 3. Ja, sicher. Überall! 4. Prost! 5. So teuer? Unmöglich! 6. Abgemacht! 7. Ja, so ein Zufall! 8. Schrecklich! 9. Na hoffentlich! 10. Einfach, bitte.
Übung 81	1. c 2. b 3. a 4. a
Übung 82	1. Jeder, der 9 Jahre das Gymnasium besucht hat und Abitur gemacht hat. 2. Wenn man das Fachabitur machen will, muß man 12 Jahre in die Schule gehen. 3. Man muß das Fachabitur gemacht haben. 4. Er kann die Hauptschule, die Realschule oder das Gymnasium besuchen.
Übung 83	1. verabschiedet 2. geht … los 3. sieht … aus 4. geht … unter 5. steigst … aus 6. unterhält 7. übernachten 8. Steck … ein 9. geht … zu 10. unterschreibt
Übung 84	1. kann 2. Wissen 3. kann 4. weiß 5. kennt 6. Wissen 7. kennen 8. kann 9. weiß 10. Kennt 11. kann 12. wissen
Übung 85	1. Man kann sie fast überall auf der Erde empfangen. 2. Man kann sie über Kurzwelle empfangen. 3. Man kann Nachrichten, Kommentare, Sport-, Kultur- und Wirtschaftssendungen über Deutschland hören. 4. Er sendet in 3 Sprachen. 5. Man kann Informationen in den Programmzeitschriften des Senders und im Internet finden. 6. Sie sendet sie rund um die Uhr.
Übung 86	1. geplante 2. ausgefüllten 3. stattfindenden 4. gebrauchten 5. sendenden 6. gespartes 7. untersuchenden 8. gebuchten
Übung 87	1. Es wird in Deutschland viel Bier getrunken. 2. Es wurde lange gefeiert. 3. Es werden im nächsten Jahr neue Mitarbeiter eingestellt. 4. Es wird bei Sonderangeboten viel Geld gespart. 5. Es wurde eine teure Uhr vermißt. 6. Es wird in Österreich viel gewandert. 7. Es wird am 1. Mai nicht gearbeitet. 8. Es wurden viele Prüfungen gemacht.

ANHANG

DEKLINATION DER ARTIKEL UND PRONOMEN

Der bestimmte Artikel

	M.	F.	N.	Plural
Nominativ	der	die	das	die
Genitiv	des	der	des	der
Dativ	dem	der	dem	den
Akkusativ	den	die	das	die

Der unbestimmte Artikel

	M.	F.	N.
Nominativ	ein	eine	ein
Genitiv	eines	einer	eines
Dativ	einem	einer	einem
Akkusativ	einen	eine	ein

ebenso: *mein, dein, sein, kein*

Das Demonstrativpronomen

	M.	F.	N.	Plural
Nominativ	dieser	diese	dieses	diese
Genitiv	dieses	dieser	dieses	dieser
Dativ	diesem	dieser	diesem	diesen
Akkusativ	diesen	diese	dieses	diese

Das Relativpronomen: der Mann, **der ...**

	M.	F.	N.	Plural
Nominativ	der	die	das	die
Dativ	dem	der	dem	denen
Akkusativ	den	die	das	die

Das Personalpronomen

Nom.	*Dat.*	*Akk.*
ich	mir	mich
du	dir	dich
er, sie, es	ihm, ihr, ihm	ihn, sie, es
wir	uns	uns
ihr	euch	euch
sie	ihnen	sie
Sie	Ihnen	Sie

Das Reflexivpronomen

Dat.	*Akk.*
mir	mich
dir	dich
sich	sich
uns	uns
euch	euch
sich, sich	sich, sich

Das Possessiv-pronomen

Nom.
mein
dein
sein, ihr, sein
unser
euer
ihr, Ihr

DIE PRÄPOSITIONEN

mit Akk.	*mit Dat.*	*mit Dat. oder Akk.*	*mit Gen.*
bis	aus, mit	an, in	trotz
für	außer	auf, unter	während
gegen	bei	hinter, vor	wegen
ohne	nach, von	neben	
um	seit	über	
durch	zu	zwischen	

Adjektivendungen nach *der, dieser usw.*

	Maskulin			Feminin			Neutrum		
Nom.	der	groß**e**	Tisch	die	groß**e**	Tür	das	groß**e**	Bild
Gen.	des	groß**en**	Tisches	der	groß**en**	Tür	des	groß**en**	Bildes
Dat.	dem	groß**en**	Tisch	der	groß**en**	Tür	dem	groß**en**	Bild
Akk.	den	groß**en**	Tisch	die	groß**e**	Tür	das	groß**e**	Bild

	Plural		
Nom.	die	groß**en**	Zimmer
Gen.	der	groß**en**	Zimmer
Dat.	den	groß**en**	Zimmern
Akk.	die	groß**en**	Zimmer

Adjektivendungen nach *ein, kein, mein, dein, sein usw.*

	Maskulin			Feminin			Neutrum		
Nom.	ein	groß**er**	Tisch	eine	groß**e**	Tür	ein	groß**es**	Bild
Gen.	eines	groß**en**	Tisches	einer	groß**en**	Tür	eines	groß**en**	Bildes
Dat.	einem	groß**en**	Tisch	einer	groß**en**	Tür	einem	groß**en**	Bild
Akk.	einen	groß**en**	Tisch	eine	groß**e**	Tür	ein	groß**es**	Bild

	Plural		
Nom.	unsere	groß**en**	Zimmer
Gen.	unserer	groß**en**	Zimmer
Dat.	unseren	groß**en**	Zimmern
Akk.	unsere	groß**en**	Zimmer

DAS VERB *HABEN*

	Präsens	Imperfekt	Futur	
ich	habe	hatte	werde	
du	hast	hattest	wirst	
er/sie/es	hat	hatte	wird	haben
wir	haben	hatten	werden	
ihr	habt	hattet	werdet	
sie/Sie	haben	hatten	werden	

	Perfekt		Plusquamperfekt		Konjunktiv
ich	habe		hatte		hätte
du	hast		hattest		hättest
er/sie/es	hat	gehabt	hatte	gehabt	hätte
wir	haben		hatten		hätten
ihr	habt		hattet		hättet
sie/Sie	haben		hatten		hätten

DAS VERB *SEIN*

	Präsens	Imperfekt	Futur	
ich	bin	war	werde	
du	bist	warst	wirst	
er/sie/es	ist	war	wird	sein
wir	sind	waren	werden	
ihr	seid	wart	werdet	
sie/Sie	sind	waren	werden	

	Perfekt		Plusquamperfekt		Konjunktiv
ich	bin		war		wäre
du	bist		warst		wär(e)st
er/sie/es	ist	gewesen	war	gewesen	wäre
wir	sind		waren		wären
ihr	seid		wart		wär(e)t
sie/Sie	sind		waren		wären

DAS VERB *WERDEN*

	Präsens	**Imperfekt**	**Futur**	
ich	werde	wurde	werde	
du	wirst	wurdest	wirst	
er/sie/es	wird	wurde	wird	werden
wir	werden	wurden	werden	
ihr	werdet	wurdet	werdet	
sie/Sie	werden	wurden	werden	

	Perfekt	**Plusquamperfekt**	**Konjunktiv**	
ich	bin	war	würde	
du	bist	warst	würdest	
er/sie/es	ist	war	würde	werden
wir	sind	waren	würden	
ihr	seid	wart	würdet	
sie/Sie	sind	waren	würden	

Perfekt: geworden   *Plusquamperfekt:* geworden

TRENNBARE VERBEN: *ANRUFEN*

	Präsens	**Imperfekt**	**Futur**	
ich	rufe	rief	werde	
du	rufst	riefst	wirst	
er/sie/es	ruft	rief	wird	anrufen
wir	rufen	riefen	werden	
ihr	ruft	rieft	werdet	
sie/Sie	rufen	riefen	werden	

Präsens: an   *Imperfekt:* an

	Perfekt	**Plusquamperfekt**	**Konjunktiv**	
ich	habe	hatte	würde	
du	hast	hattest	würdest	
er/sie/es	hat	hatte	würde	anrufen
wir	haben	hatten	würden	
ihr	habt	hattet	würdet	
sie/Sie	haben	hatten	würden	

Perfekt: angerufen   *Plusquamperfekt:* angerufen

REFLEXIVE VERBEN

DATIV
~~AKKUSATIV~~

SICH etw. KAUFEN

	Präsens		**Perfekt**	
ich	kaufe mir		habe mir	
du	kaufst dir		hast dir	
er/sie/es	kauft sich	etwas	hat sich	etwas gekauft
wir	kaufen uns		haben uns	
ihr	kauft euch		habt euch	
sie/Sie	kaufen sich		haben sich	

SICH etw. VORSTELLEN (trennbar)

	Präsens		**Perfekt**	
ich	stelle mir		habe mir	
du	stellst dir		hast dir	
er/sie/es	stellt sich	etwas vor	hat sich	etwas vorgestellt
wir	stellen uns		haben uns	
ihr	stellt euch		habt euch	
sie/Sie	stellen sich		haben sich	

AKKUSATIV
~~DATIV~~

SICH FREUEN

	Präsens	**Perfekt**	
ich	freue mich	habe mich	
du	freust dich	hast dich	
er/sie/es	freut sich	hat sich	gefreut
wir	freuen uns	haben uns	
ihr	freut euch	habt euch	
sie/Sie	freuen sich	haben sich	

SICH ANZIEHEN (trennbar)

	Präsens		**Perfekt**	
ich	ziehe mich		habe mich	
du	ziehst dich		hast dich	
er/sie/es	zieht sich	an	hat sich	angezogen
wir	ziehen uns		haben uns	
ihr	zieht euch		habt euch	
sie/Sie	ziehen sich		haben sich	

z.B.: bezahlen

Partizip Perfekt: bezahlt
Imperativ: Bezahle! Bezahlt! Bezahlen Sie!

	Präsens	**Imperfekt**	**Futur**	
ich	bezahle	bezahlte	werde	
du	bezahlst	bezahltest	wirst	
er/sie/es	bezahlt	bezahlte	wird	bezahlen
wir	bezahlen	bezahlten	werden	
ihr	bezahlt	bezahltet	werdet	
sie/Sie	bezahlen	bezahlten	werden	

	Perfekt		**Plusquamperfekt**		**Konjunktiv**	
ich	habe		hatte		würde	
du	hast		hattest		würdest	
er/sie/es	hat	bezahlt	hatte	bezahlt	würde	bezahlen
wir	haben		hatten		würden	
ihr	habt		hattet		würdet	
sie/Sie	haben		hatten		würden	

(h) = mit haben
(s) = mit sein

		Präsens	**Imperfekt**	**Perfekt**
abheben	ich	hebe ab	hob ab	*(h)* abgehoben
	du	hebst	hobst	
	er/sie/es	hebt	hob	
	wir/sie/Sie	heben	hoben	
	ihr	hebt	hobt	
beginnen	ich	beginne	begann	*(h)* begonnen
	du	beginnst	begannst	
	er/sie/es	beginnt	begann	
	wir/sie/Sie	beginnen	begannen	
	ihr	beginnt	begannt	
bewerben	ich	bewerbe	bewarb	*(h)* beworben
	du	bewirbst	bewarbst	
	er/sie/es	bewirbt	bewarb	
	wir/sie/Sie	bewerben	bewarben	
	ihr	bewerbt	bewarbt	
bitten	ich	bitte	bat	*(h)* gebeten
	du	bittest	batest	
	er/sie/es	bittet	bat	
	wir/sie/Sie	bitten	baten	
	ihr	bittet	batet	
bleiben	ich	bleibe	blieb	*(s)* geblieben
	du	bleibst	bliebst	
	er/sie/es	bleibt	blieb	
	wir/sie/Sie	bleiben	blieben	
	ihr	bleibt	bliebt	
bringen	ich	bringe	brachte	*(h)* gebracht
	du	bringst	brachtest	
	er/sie/es	bringt	brachte	
	wir/sie/Sie	bringen	brachten	
	ihr	bringt	brachtet	

		Präsens	**Imperfekt**	**Perfekt**
denken	ich	denke	dachte	(h) gedacht
	du	denkst	dachtest	
	er/sie/es	denkt	dachte	
	wir/sie/Sie	denken	dachten	
	ihr	denkt	dachtet	
einladen	ich	lade ein	lud	(h) eingeladen
	du	lädst	ludst	
	er/sie/es	lädt	lud	
	wir/sie/Sie	laden	luden	
	ihr	ladet	ludet	
empfangen	ich	empfange	empfing	(h) empfangen
	du	empfängst	empfingst	
	er/sie/es	empfängt	empfing	
	wir/sie/Sie	empfangen	empfingen	
	ihr	empfangt	empfingt	
essen	ich	esse	aß	(h) gegessen
	du	ißt	aßt	
	er/sie/es	ißt	aß	
	wir/sie/Sie	essen	aßen	
	ihr	eßt	aßt	
fahren	ich	fahre	fuhr	(s) gefahren
	du	fährst	fuhrst	
	er/sie/es	fährt	fuhr	
	wir/sie/Sie	fahren	fuhren	
	ihr	fahrt	fuhrt	
fallen	ich	falle	fiel	(s) gefallen
	du	fällst	fielst	
	er/sie/es	fällt	fiel	
	wir/sie/Sie	fallen	fielen	
	ihr	fallt	fielt	
finden	ich	finde	fand	(h) gefunden
	du	findest	fandest	
	er/sie/es	findet	fand	
	wir/sie/Sie	finden	fanden	
	ihr	findet	fandet	

		Präsens	**Imperfekt**	**Perfekt**
fliegen	ich	fliege	flog	(s) geflogen
	du	fliegst	flogst	
	er/sie/es	fliegt	flog	
	wir/sie/Sie	fliegen	flogen	
	ihr	fliegt	flogt	
geben	ich	gebe	gab	(h) gegeben
	du	gibst	gabst	
	er/sie/es	gibt	gab	
	wir/sie/Sie	geben	gaben	
	ihr	gebt	gabt	
gehen	ich	gehe	ging	(s) gegangen
	du	gehst	gingst	
	er/sie/es	geht	ging	
	wir/sie/Sie	gehen	gingen	
	ihr	geht	gingt	
genießen	ich	genieße	genoß	(h) genossen
	du	genießt	genoßt	
	er/sie/es	genießt	genoß	
	wir/sie/Sie	genießen	genossen	
	ihr	genießt	genoßt	
gewinnen	ich	gewinne	gewann	(h) gewonnen
	du	gewinnst	gewannst	
	er/sie/es	gewinnt	gewann	
	wir/sie/Sie	gewinnen	gewannen	
	ihr	gewinnt	gewannt	
halten	ich	halte	hielt	(h) gehalten
	du	hältst	hieltst	
	er/sie/es	hält	hielt	
	wir/sie/Sie	halten	hielten	
	ihr	haltet	hieltet	
heißen	ich	heiße	hieß	(h) geheißen
	du	heißt	hieß	
	er/sie/es	heißt	hieß	
	wir/sie/Sie	heißen	hießen	
	ihr	heißt	hießt	

		Präsens	**Imperfekt**	**Perfekt**
helfen	ich	helfe	half	*(h)* geholfen
	du	hilfst	halfst	
	er/sie/es	hilft	half	
	wir/sie/Sie	helfen	halfen	
	ihr	helft	halft	
kennen	ich	kenne	kannte	*(h)* gekannt
	du	kennst	kanntest	
	er/sie/es	kennt	kannte	
	wir/sie/Sie	kennen	kannten	
	ihr	kennt	kanntet	
kommen	ich	komme	kam	*(s)* gekommen
	du	kommst	kamst	
	er/sie/es	kommt	kam	
	wir/sie/Sie	kommen	kamen	
	ihr	kommt	kamt	
lassen	ich	lasse	ließ	*(h)* gelassen
	du	läßt	ließest	
	er/sie/es	läßt	ließ	
	wir/sie/Sie	lassen	ließen	
	ihr	laßt	ließt	
laufen	ich	laufe	lief	*(s)* gelaufen
	du	läufst	liefst	
	er/sie/es	läuft	lief	
	wir/sie/Sie	laufen	liefen	
	ihr	lauft	lieft	
lesen	ich	lese	las	*(h)* gelesen
	du	liest	last	
	er/sie/es	liest	las	
	wir/sie/Sie	lesen	lasen	
	ihr	lest	last	
liegen	ich	liege	lag	*(h)* gelegen
	du	liegst	lagst	
	er/sie/es	liegt	lag	
	wir/sie/Sie	liegen	lagen	
	ihr	liegt	lagt	

		Präsens	**Imperfekt**	**Perfekt**
nehmen	*ich*	nehme	nahm	*(h)* genommen
	du	nimmst	nahmst	
	er/sie/es	nimmt	nahm	
	wir/sie/Sie	nehmen	nahmen	
	ihr	nehmt	nahmt	
nennen	*ich*	nenne	nannte	*(h)* genannt
	du	nennst	nanntest	
	er/sie/es	nennt	nannte	
	wir/sie/Sie	nennen	nannten	
	ihr	nennt	nanntet	
rufen	*ich*	rufe	rief	*(h)* gerufen
	du	rufst	riefst	
	er/sie/es	ruft	rief	
	wir/sie/Sie	rufen	riefen	
	ihr	ruft	rieft	
schreiben	*ich*	schreibe	schrieb	*(h)* geschrieben
	du	schreibst	schriebst	
	er/sie/es	schreibt	schrieb	
	wir/sie/Sie	schreiben	schrieben	
	ihr	schreibt	schriebt	
sehen	*ich*	sehe	sah	*(h)* gesehen
	du	siehst	sahst	
	er/sie/es	sieht	sah	
	wir/sie/Sie	sehen	sahen	
	ihr	seht	saht	
singen	*ich*	singe	sang	*(h)* gesungen
	du	singst	sangst	
	er/sie/es	singt	sang	
	wir/sie/Sie	singen	sangen	
	ihr	singt	sangt	
sitzen	*ich*	sitze	saß	*(h)* gesessen
	du	sitzt	saßt	
	er/sie/es	sitzt	saß	
	wir/sie/Sie	sitzen	saßen	
	ihr	sitzt	saßt	

		Präsens	Imperfekt	Perfekt
sprechen	ich	spreche	sprach	(h) gesprochen
	du	sprichst	sprachst	
	er/sie/es	spricht	sprach	
	wir/sie/Sie	sprechen	sprachen	
	ihr	sprecht	spracht	
stehen	ich	stehe	stand	(h) gestanden
	du	stehst	standst	
	er/sie/es	steht	stand	
	wir/sie/Sie	stehen	standen	
	ihr	steht	standet	
steigen	ich	steige	stieg	(s) gestiegen
	du	steigst	stiegst	
	er/sie/es	steigt	stieg	
	wir/sie/Sie	steigen	stiegen	
	ihr	steigt	stiegt	
tragen	ich	trage	trug	(h) getragen
	du	trägst	trugst	
	er/sie/es	trägt	trug	
	wir/sie/Sie	tragen	trugen	
	ihr	tragt	trugt	
treffen	ich	treffe	traf	(h) getroffen
	du	triffst	trafst	
	er/sie/es	trifft	traf	
	wir/sie/Sie	treffen	trafen	
	ihr	trefft	traft	
trinken	ich	trinke	trank	(h) getrunken
	du	trinkst	trankst	
	er/sie/es	trinkt	trank	
	wir/sie/Sie	trinken	tranken	
	ihr	trinkt	trankt	
tun	ich	tue	tat	(h) getan
	du	tust	tatest	
	er/sie/es	tut	tat	
	wir/sie/Sie	tun	taten	
	ihr	tut	tatet	

		Präsens	Imperfekt	Perfekt
vergessen	ich	vergesse	vergaß	(h) vergessen
	du	vergißt	vergaßt	
	er/sie/es	vergißt	vergaß	
	wir/sie/Sie	vergessen	vergaßen	
	ihr	vergeßt	vergaßt	
verlieren	ich	verliere	verlor	(h) verloren
	du	verlierst	verlorst	
	er/sie/es	verliert	verlor	
	wir/sie/Sie	verlieren	verloren	
	ihr	verliert	verlort	
wissen	ich	weiß	wußte	(h) gewußt
	du	weißt	wußtest	
	er/sie/es	weiß	wußte	
	wir/sie/Sie	wissen	wußten	
	ihr	wißt	wußtet	

MODALVERBEN

		Präsens	Imperfekt	Perfekt
können	ich	kann	konnte	*(h)* gekonnt
	du	kannst	konntest	
	er/sie/es	kann	konnte	
	wir/sie/Sie	können	konnten	
	ihr	könnt	konntet	
wollen	ich	will	wollte	*(h)* gewollt
	du	willst	wolltest	
	er/sie/es	will	wollte	
	wir/sie/Sie	wollen	wollten	
	ihr	wollt	wolltet	
müssen	ich	muß	mußte	*(h)* gemußt
	du	mußt	mußtest	
	er/sie/es	muß	mußte	
	wir/sie/Sie	müssen	mußten	
	ihr	müßt	mußtet	
dürfen	ich	darf	durfte	*(h)* gedurft
	du	darfst	durftest	
	er/sie/es	darf	durfte	
	wir/sie/Sie	dürfen	durften	
	ihr	dürft	durftet	
möchten	ich	möchte	mochte	*(h)* gemocht
	du	möchtest	mochtest	
	er/sie/es	möchte	mochte	
	wir/sie/Sie	möchten	mochten	
	ihr	möchtet	mochtet	
sollen	ich	soll	sollte	*(h)* gesollt
	du	sollst	solltest	
	er/sie/es	soll	sollte	
	wir/sie/Sie	sollen	sollten	
	ihr	sollt	solltet	

AUDIOPROGRAMM

Kapitel 1

Klaus und Ulrike Huber werden ein paar Tage nach Österreich fahren. Klaus ruft im Hotel Mozart in Salzburg an.

Hören Sie zu!

Angestellte:	*Hotel Mozart, guten Abend!*
Klaus:	*Guten Abend! Mein Name ist Huber. Ich möchte ein Doppelzimmer reservieren.*

Antworten Sie!

Werden Hubers nach Paris fahren?   Nein, sie werden nicht nach Paris fahren.

Wohin werden sie fahren?   Sie werden nach Salzburg fahren.

Werden sie bei Freunden wohnen?   Nein, sie werden nicht bei Freunden wohnen.

Sie werden im Hotel Mozart wohnen, stimmt's?   Ja, sie werden im Hotel Mozart wohnen.

Reserviert Herr Huber ein Einzelzimmer?   Nein, er reserviert kein Einzelzimmer.

Er sagt, er möchte ein Doppelzimmer, nicht?   Ja, er sagt, er möchte ein Doppelzimmer.

Bitte, was sagt er?   Er sagt, er möchte ein Doppelzimmer.

Gut.

Wiederholen Sie!

„Ich möchte ein Doppelzimmer."
Er sagt, er möchte ein Doppelzimmer.

„Ich fahre im Juli nach Salzburg."
Er sagt, er fährt …   Er sagt, er fährt im Juli nach Salzburg.

„Wir kommen mit dem Auto."
Er sagt, sie kommen …   Er sagt, sie kommen mit dem Auto.

„Meine Frau fährt mit."
Er sagt, …   Er sagt, seine Frau fährt mit.

„Wir werden 4 Tage bleiben."   Er sagt, sie werden 4 Tage bleiben.

„Ich werde mit Kreditkarte bezahlen."   Er sagt, er wird mit Kreditkarte bezahlen.

Prima. Hören Sie wieder zu!

Klaus:	*Ich möchte ein Doppelzimmer reservieren.*
Angestellte:	*Gern. Von wann bis wann, bitte?*
Klaus:	*Vom 7. bis zum 11. Juli.*
Angestellte:	*Einen Moment bitte … Ah ja, vom 7. bis zum 11. ist noch ein Zimmer frei.*

Antworten Sie!

Fahren Hubers im Juli nach Salzburg?   Ja, sie fahren im Juli nach Salzburg.

Werden Sie 4 Wochen bleiben?   Nein, sie werden nicht 4 Wochen bleiben.

Wie lange werden sie bleiben?

Sie werden 4 Tage bleiben.

Ist noch ein Doppelzimmer frei?

Ja, es ist noch ein Doppelzimmer frei.

Gut. Hören Sie zu!

> Klaus: *Sagen Sie, haben Ihre Zimmer ein Bad oder eine Dusche?*
>
> Angestellte: *Unsere Zimmer haben alle ein Bad, einen Fernseher und eine Minibar.*
>
> Klaus: *Ausgezeichnet.*

Antworten Sie!

Hat das Zimmer eine Dusche oder ein Bad?

Es hat ein Bad.

Alle Zimmer haben ein Bad, nicht?

Ja, alle Zimmer haben ein Bad.

Haben die Zimmer auch einen Fernseher und eine Minibar?

Ja, sie haben auch einen Fernseher und eine Minibar.

Gut. Hören Sie bitte wieder zu!

> Klaus: *Und sagen Sie mir bitte noch, wieviel die Zimmer kosten.*
>
> Angestellte: *Eine Übernachtung mit Frühstück für zwei Personen kostet 1700 Schilling. Vollpension kostet 300 Schilling mehr.*

Antworten Sie!

Fragt Klaus, wieviel ein Doppelzimmer kostet?

Ja, er fragt, wieviel ein Doppelzimmer kostet.

Eine Übernachtung kostet 1700 Schilling, oder?

Ja, eine Übernachtung kostet 1700 Schilling.

1700 Schilling mit Vollpension oder Halbpension?

1700 Schilling mit Halbpension.

Vollpension kostet 300 Schilling mehr, stimmt's?

Ja, Vollpension kostet 300 Schilling mehr.

Schön. Hören Sie zu!

> Klaus: *Gut. Dann reservieren Sie bitte ein Doppelzimmer mit Vollpension für uns.*
>
> Angestellte: *Gern. Jetzt brauche ich noch Ihren Namen und Ihre Telefonnummer.*

Antworten Sie!

Reserviert die Angestellte das Zimmer für Hubers?

Ja, sie reserviert es für sie.

Braucht sie auch Hubers Hausnummer?

Nein, sie braucht nicht ihre Hausnummer.

Was braucht sie?

Sie braucht ihre Telefonnummer.

Schön. Hören Sie wieder zu!

> Angestellte: *Wissen Sie schon, wann Sie am 7. ankommen werden, Herr Huber?*
>
> Klaus: *Gegen 6 Uhr abends. Wir kommen mit dem Auto. Haben Sie einen Parkplatz?*

Angestellte: Ja, direkt hinter dem Hotel. Unsere Gäste können dort kostenlos parken.

Klaus: Wunderbar. Vielen Dank und auf Wiederhören!

Antworten Sie!

Fahren Hubers mit dem Zug nach Salzburg?	Nein, sie fahren nicht mit dem Zug nach Salzburg.
Womit fahren sie?	Sie fahren mit dem Auto.
Hat das Hotel einen Parkplatz?	Ja, es hat einen Parkplatz.
Werden Hubers vor dem Hotel parken?	Nein, sie werden nicht vor dem Hotel parken.
Sie werden hinter dem Hotel parken, oder?	Ja, sie werden hinter dem Hotel parken.
Bitte, wo werden Hubers parken?	Sie werden hinter dem Hotel parken.

Gut.

Wiederholen Sie!

Hubers parken hinter dem Hotel.
Sie werden hinter dem Hotel parken.
Sie kommen mit dem Auto.

Sie werden mit dem Auto …	Sie werden mit dem Auto kommen.
Ulrike kauft Souvenirs.	
Sie wird …	Sie wird Souvenirs kaufen.
Klaus geht in ein Museum.	
Er …	Er wird in ein Museum gehen.
Ich fahre auch nach Salzburg.	
Ich …	Ich werde auch nach Salzburg fahren.
Wir wohnen in der Stadt.	Wir werden in der Stadt wohnen.
Meine Frau besucht Freunde.	Sie wird Freunde besuchen.
Klaus und Ulrike bleiben 4 Tage.	Sie werden 4 Tage bleiben.

Sehr schön. Jetzt hören Sie noch einmal zu und wiederholen Sie!

- *Hotel Mozart, guten Abend!*
- *Guten Abend! Mein Name ist Huber.*
  Ich möchte ein Doppelzimmer reservieren.
- *Gern. Von wann bis wann, bitte?*
- *Vom 7. bis zum 11. Juli.*
- *Einen Moment bitte.*
  Ah ja, vom 7. bis zum 11. ist noch ein Zimmer frei.
- *Sagen Sie, haben Ihre Zimmer ein Bad oder eine Dusche?*
- *Unsere Zimmer haben alle ein Bad,*
  einen Fernseher und eine Minibar.

– *Ausgezeichnet. Und sagen Sie mir bitte noch,*
  wieviel die Zimmer kosten.
– *Eine Übernachtung mit Frühstück für zwei Personen*
    kostet 1700 Schilling.
  Vollpension kostet 300 Schilling mehr.
– *Gut. Dann reservieren Sie bitte ein Doppelzimmer mit Vollpension*
    für uns.
– *Gern. Jetzt brauche ich noch Ihren Namen*
  und Ihre Telefonnummer.
  Wissen Sie schon,
  wann Sie am 7. ankommen werden, Herr Huber?
– *Gegen 6 Uhr abends.*
  Wir kommen mit dem Auto.
  Haben Sie einen Parkplatz?
– *Ja, direkt hinter dem Hotel.*
  Unsere Gäste können dort kostenlos parken.
– *Wunderbar. Vielen Dank und auf Wiederhören!*

Ausgezeichnet. Das ist das Ende von Herrn Hubers Telefongespräch mit dem Hotel, und das ist auch das Ende von Kapitel 1.
Vielen Dank … und … auf Wiederhören!

Kapitel 2

Heute morgen geht Ulrich Lempert nicht ins Büro. Er fühlt sich nicht wohl und ruft bei seinem Arzt an.
Hören Sie zu!

Arzthelferin:	*Praxis Dr. Grewen, guten Morgen!*
Herr Lempert:	*Guten Morgen! Mein Name ist Ulrich Lempert. Ich möchte gern einen Termin, wenn möglich heute noch. Ich fühle mich nicht wohl.*
Arzthelferin:	*Heute noch? Das ist schwierig. Haben Sie Schmerzen?*
Herr Lempert:	*Ja, ich habe starke Magenschmerzen!*

Antworten Sie!

Geht Herr Lempert heute ins Büro?	Nein, er geht heute nicht ins Büro.
Bleibt er zu Hause?	Ja, er bleibt zu Hause.
Fühlt er sich wohl?	Nein, er fühlt sich nicht wohl.
Hat er Rücken- oder Magenschmerzen?	Er hat Magenschmerzen.
Sind die Schmerzen stark?	Ja, sie sind stark.
Ruft er seine Frau an?	Nein, er ruft nicht seine Frau an.
Wen ruft er an?	Er ruft den Arzt an.
Braucht Herr Lempert einen Termin?	Ja, er braucht einen Termin.
Will er einen Termin für morgen haben oder für heute?	Er will einen Termin für heute haben.

Gut. Hören Sie zu!

Arzthelferin: *Hm ...Wir haben heute viele Patienten. Können Sie vielleicht etwas später kommen? Der einzige Termin, den ich Ihnen geben kann, ist um halb 5. Dann kann Dr. Grewen Sie untersuchen.*

Herr Lempert: *Um halb 5. Na gut. Vielen Dank!*

Antworten Sie!

Hat der Arzt viele Patienten?	Ja, er hat viele Patienten.
Wird er Herrn Lempert heute morgen untersuchen?	Nein, er wird ihn nicht heute morgen untersuchen.
Aber er kann ihn später untersuchen, oder?	Ja, er kann ihn später untersuchen.
Wann kann er ihn untersuchen, um halb 1 oder um halb 5?	Er kann ihn um halb 5 untersuchen.

Gut.

Um halb 5 sitzt Herr Lempert in Dr. Grewens Praxis.

Hören Sie wieder zu!

Dr. Grewen: *So, Herr Lempert, ich höre, es geht Ihnen nicht gut.*

Herr Lempert: *Ja, ich habe Kopf- und Magenschmerzen, und ich bin immer müde.*

Dr. Grewen: *Setzen Sie sich bitte hier hin, und ziehen Sie sich das Hemd aus.*

Antworten Sie!

Spricht der Arzt mit Herrn Lempert?	Ja, er spricht mit ihm.
Fragt er ihn nach seinen Schmerzen?	Ja, er fragt ihn nach seinen Schmerzen.
Sagt der Arzt, daß er sich das Hemd anziehen soll?	Nein, er sagt nicht, daß er sich das Hemd anziehen soll.
Was sagt er?	Er sagt, daß er sich das Hemd ausziehen soll.
Bitte, was sagt der Arzt?	Er sagt, daß er sich das Hemd ausziehen soll.

Gut.

Wiederholen Sie!

Er zieht sich das Hemd aus.
Er soll sich das Hemd ausziehen.
Er legt sich nicht hin.

Er muß sich nicht ...	Er muß sich nicht hinlegen.
Wir setzen uns ins Wartezimmer. Wir können ...	Wir können uns ins Wartezimmer setzen.
Ich ziehe mich wieder an. Ich darf ...	Ich darf mich wieder anziehen.
Ich beeile mich. Ich soll ...	Ich soll mich beeilen.

Anne verspätet sich nicht.

Sie darf ...   Sie darf sich nicht verspäten.

Sie erholen sich.

Sie müssen ...   Sie müssen sich erholen.

Sehr gut.

Herr Lempert bekommt von Dr. Grewen ein Thermometer zum Fiebermessen. Dann untersucht ihn der Arzt.

Hören Sie zu!

> **Herr Lempert:** *Also, Herr Doktor, was stimmt nicht mit mir?*
>
> **Dr. Grewen:** *Nun, Sie haben eine Grippe und auch etwas Fieber. Sie müssen die nächsten Tage im Bett bleiben. Ich werde Ihnen etwas verschreiben. Nehmen Sie die Tabletten dreimal täglich vor dem Essen!*

Antworten Sie!

Hat der Arzt Herrn Lempert untersucht?   Ja, er hat ihn untersucht.

Ist Herr Lempert gesund oder krank?   Er ist krank.

Und was hat er?   Er hat eine Grippe.

Und der Arzt sagt, daß er auch
Fieber hat, oder?   Ja, er sagt, daß er auch Fieber hat.

Muß Herr Lempert die nächsten   Ja, er muß die nächsten Tage
Tage im Bett bleiben?   im Bett bleiben.

Verschreibt ihm der Arzt Tabletten?   Ja, er verschreibt ihm Tabletten.

Soll er sie nach dem Essen nehmen?   Nein, er soll sie nicht nach
                                                dem Essen nehmen.

Wann soll er sie nehmen?   Er soll sie vor dem Essen nehmen.

Gut. Hören Sie wieder zu!

> **Herr Lempert:** *Und wann kann ich wieder zur Arbeit gehen?*
>
> **Dr. Grewen:** *Mit den Medikamenten, die ich Ihnen gerade verschreibe, werden Sie sich schon morgen besser fühlen. Wenn es Ihnen aber in zwei Tagen nicht besser geht, rufen Sie mich an.*
>
> **Herr Lempert:** *Gut! Vielen Dank, Herr Doktor! Auf Wiedersehen!*

Antworten Sie!

Darf Herr Lempert heute schon   Nein, er darf heute noch nicht zur
zur Arbeit gehen?   Arbeit gehen.

Der Arzt sagt ihm, daß er sich   Ja, er sagt ihm, daß er sich morgen
morgen besser fühlen wird, nicht?   besser fühlen wird.

Soll Herr Lempert anrufen, wenn es   Nein, er soll nicht anrufen, wenn es
ihm in 2 Wochen nicht besser geht?   ihm in 2 Wochen nicht besser geht.

Wann soll er anrufen?   Er soll anrufen, wenn es ihm in
                                                2 Tagen nicht besser geht.

Sehr gut. Jetzt hören Sie bitte noch einmal zu und wiederholen Sie!

- *Praxis Dr. Grewen, guten Morgen!*
- *Guten Morgen! Mein Name ist Ulrich Lempert.*
  Ich möchte gern einen Termin,
  wenn möglich heute noch.
  Ich fühle mich nicht wohl.
- *Heute noch? Das ist schwierig.*
  Haben Sie Schmerzen?
- *Ja, ich habe starke Magenschmerzen!*
- *Hm ...Wir haben heute viele Patienten.*
  Können Sie vielleicht etwas später kommen?
  Der einzige Termin,
  den ich Ihnen geben kann,
  ist um halb 5.
  Dann kann Dr. Grewen Sie untersuchen.
- *Um halb 5. Na gut. Vielen Dank!*
  * * * *
- *So, Herr Lempert,*
  ich höre, es geht Ihnen nicht gut.
- *Ja, ich habe Kopf- und Magenschmerzen,*
  und ich bin immer müde.
- *Setzen Sie sich bitte hier hin,*
  und ziehen Sie sich das Hemd aus.
- *Also, Herr Doktor, was stimmt nicht mit mir?*
- *Nun, Sie haben eine Grippe und auch etwas Fieber.*
  Sie müssen die nächsten Tage im Bett bleiben.
  Ich werde Ihnen etwas verschreiben.
  Nehmen Sie die Tabletten dreimal täglich vor dem Essen!
- *Und wann kann ich wieder zur Arbeit gehen?*
- *Mit den Medikamenten,*
  die ich Ihnen gerade verschreibe,
  werden Sie sich schon morgen besser fühlen.
  Wenn es Ihnen aber in zwei Tagen nicht besser geht,
  rufen Sie mich an.
- *Gut! Vielen Dank, Herr Doktor! Auf Wiedersehen!*

Ausgezeichnet! Na, dann gute Besserung, Herr Lempert! Und das ist auch das Ende von Kapitel 2. Vielen Dank und ... auf Wiederhören!

Kapitel 3

Georg Leitner hat seiner Frau Kerstin zwei Karten fürs Theater geschenkt. Aber am Tag der Vorstellung muß er geschäftlich nach München fahren. Kerstin ruft ihre alte Freundin Gerda Moser an.

Hören Sie zu!

    Gerda: *Moser!*

    Kerstin: *Hallo, Gerda, wie geht's dir?*

    Gerda: *Gut, und dir?*

    Kerstin: *Danke, ausgezeichnet … Du, ich habe zwei Theaterkarten für heute abend, und Georg kann nicht mitgehen.*

Antworten Sie!

Ruft Kerstin ihre Freundin Gerda an?	Ja, sie ruft ihre Freundin Gerda an.
Hat sie Karten für ein Jazzkonzert?	Nein, sie hat keine Karten für ein Jazzkonzert.
Wofür hat sie Karten?	Sie hat Karten für ein Theaterstück.
Kann ihr Mann mit ins Theater gehen?	Nein, er kann nicht mit ins Theater gehen.
Er ist geschäftlich nach München gefahren, nicht?	Ja, er ist geschäftlich nach München gefahren.

Gut. Hören Sie zu!

    Kerstin: *Du, ich habe zwei Theaterkarten für heute abend, und Georg kann nicht mitgehen. Hast du schon etwas vor?*

    Gerda: *Noch nicht! Sag mal, für welches Stück hast du Karten?*

    Kerstin: *Für Die Dreigroschenoper von Bertolt Brecht. Im Landestheater. Hast du Lust?*

    Gerda: *Die Dreigroschenoper? Aber natürlich!*

Antworten Sie!

Kerstin hat Karten für die Dreigroschenoper, nicht?	Ja, sie hat Karten für die Dreigroschenoper.
Lädt Kerstin Gerda ein?	Ja, sie lädt sie ein.
Hat Gerda schon etwas vor?	Nein, sie hat noch nichts vor.
Fragt Kerstin: „Haben Sie etwas vor?"	Nein, sie fragt nicht: „Haben Sie etwas vor?"
Sie fragt: „Hast du etwas vor?", nicht?	Ja, sie fragt: „Hast du etwas vor?"
Bitte, was fragt sie?	Sie fragt: „Hast du etwas vor?"

Sehr gut!

Wiederholen Sie!

Nicht: „Haben Sie etwas vor?", sondern: „Hast du etwas vor?"	
Nicht: „Wollen Sie mitkommen?", sondern: „Willst du …	„Willst du mitkommen?"
Nicht: „Haben Sie Lust?", sondern: „Hast …"	„Hast du Lust?"
Nicht: „Gehen Sie gern ins Theater?", sondern: „Gehst …"	„Gehst du gern ins Theater?"

Nicht: „Kennen Sie dieses Stück?",
sondern: …   „Kennst du dieses Stück?"

Nicht: „Wo sind Sie jetzt?",
sondern: …   „Wo bist du jetzt?"

Sehr gut. Hören Sie zu!

> *Gerda:* Wann fängt die Vorstellung an?
>
> *Kerstin:* Um halb acht. Kannst du um 7 Uhr am Theater sein?
>
> *Gerda:* Kein Problem! Wir können ja anschließend in der Nähe noch etwas
> trinken.
>
> *Kerstin:* Gute Idee! Bis um sieben dann …

Antworten Sie!

Fängt die Vorstellung um halb 8 an?   Ja, sie fängt um halb 8 an.

Werden sich Gerda und Kerstin
um 7 Uhr treffen?   Ja, sie werden sich um 7 Uhr treffen.

Werden sie sich vor dem Büro   Nein, sie werden sich nicht vor dem
treffen?   Büro treffen.

Wo werden sie sich treffen?   Sie werden sich vor dem Theater treffen.

Gut.

Nach dem Theater sitzen Gerda und Kerstin im Schillercafé und trinken noch einen
Wein.

Hören Sie zu!

> *Gerda:* Prost Kerstin! Noch einmal vielen Dank für die Einladung. Das war
> wirklich nett von dir.
>
> *Kerstin:* Nichts zu danken. Ich freue mich, daß wir uns wieder einmal
> treffen. Hat dir das Stück gefallen?
>
> *Gerda:* Es war großartig …

Antworten Sie!

Gingen die Freundinnen nach   Ja, sie gingen nach dem Theater
dem Theater etwas trinken?   etwas trinken.

Gingen sie in ein Restaurant
oder ein Café?   Sie gingen in ein Café.

Bitte, wohin gingen sie?   Sie gingen in ein Café.

Schön.

Wiederholen Sie!

Die Freundinnen gehen in
ein Café.

Gestern gingen sie in ein Café.

Heute sprechen sie über
das Stück.   Gestern sprachen sie über das

Gestern sprachen sie über …   Stück.

Heute bestellen sie Wein.
Gestern bestellten …   Gestern bestellten sie Wein.

Heute fährt Georg nach München.
Gestern …   Gestern fuhr er nach München.

Heute habe ich großen Hunger.
Gestern …   Gestern hatte ich großen Hunger.

Heute sprechen Sie mit dem Kellner.
Gestern …   Gestern sprachen Sie mit dem Kellner.

Heute kommt das Essen sofort.
Gestern …   Gestern kam das Essen sofort.

Sehr gut. Hören Sie wieder zu!

> *Gerda:*   *Hör mal, Georg und du, wollt ihr nicht am Samstag zum Essen*
> *kommen? Ich habe ein paar Freunde in meine neue Wohnung*
> *eingeladen.*
>
> *Kerstin:*   *Aber gern. Georg wird sich freuen. Ihr habt euch auch lange nicht*
> *gesehen.*

Antworten Sie!

Ist am Samstag bei Gerda eine Feier?   Ja, am Samstag ist bei ihr eine Feier.

Hat sie ein neues Haus?   Nein, sie hat kein neues Haus.

Was hat sie?   Sie hat eine neue Wohnung.

Hat sie ein paar Freunde eingeladen?   Ja, sie hat ein paar Freunde eingeladen.

Möchte sie auch Kerstin und Georg
einladen?   Ja, sie möchte sie auch einladen.

Sehen sich Gerda und Georg oft?   Nein, sie sehen sich nicht oft.

Sie haben sich lange nicht
gesehen, oder?   Ja, sie haben sich lange nicht gesehen.

Sehr gut. Hören Sie bitte noch einmal zu und wiederholen Sie!

– *Moser!*

– *Hallo Gerda, wie geht's dir?*

– *Gut, und dir?*

– *Danke, ausgezeichnet!*
  Du, ich habe zwei Theaterkarten für heute abend,
  und Georg kann nicht mitgehen.
  Hast du schon etwas vor?

– *Noch nicht!*
  Sag mal, für welches Stück hast du Karten?

– *Für „Die Dreigroschenoper" von Bertolt Brecht.*
  Im Landestheater.
  Hast du Lust?

– *Die Dreigroschenoper? Aber natürlich!*
  Wann fängt die Vorstellung an?

– *Um halb acht.*
  Kannst du um 7 Uhr am Theater sein?
– *Kein Problem!*
  Wir können ja anschließend in der Nähe noch etwas trinken.
– *Gute Idee! Bis um sieben dann ...*
  * * * *
– *Prost Kerstin!*
  Noch einmal vielen Dank für die Einladung.
  Das war wirklich nett von dir.
– *Nichts zu danken.*
  Ich freue mich, daß wir uns wieder einmal treffen.
  Hat dir das Stück gefallen?
– *Es war großartig.*
  Hör mal, Georg und du,
  wollt ihr nicht am Samstag zum Essen kommen?
  Ich habe ein paar Freunde in meine neue Wohnung eingeladen.
– *Aber gern.*
  Georg wird sich freuen.
  Ihr habt euch auch lange nicht gesehen.

Ausgezeichnet! Na, dann viel Spaß am Samstag Gerda und Kerstin. Tja, und das ist das Ende von Kapitel 3. Vielen Dank und ... auf Wiederhören!

Kapitel 4

Paul Fraser, Kanadier aus Toronto, ist gestern in Frankfurt am Main angekommen, wo er für seine Firma arbeiten wird. Heute morgen geht er zur Bank.

Hören Sie zu!

> Angestellte: *Guten Morgen! Kann ich Ihnen helfen?*
> Paul: *Ja. Ich möchte gern ein Konto eröffnen.*
> Angestellte: *Sehr gern.*

Antworten Sie!

Macht Paul Urlaub oder ist er für seine Firma in Frankfurt?	Er ist für seine Firma in Frankfurt.
Will er heute ein Konto eröffnen?	Ja, er will heute ein Konto eröffnen.
Wo eröffnet man ein Konto?	Man eröffnet ein Konto bei der Bank.

Wiederholen Sie!

Wo eröffnet man ein Konto?
Man eröffnet ein Konto bei der Bank.

Wo kauft man Brot?	
Man kauft Brot in der ...	Man kauft Brot in der Bäckerei.
Wo tankt man sein Auto?	
Man tankt sein ...	Man tankt sein Auto an der Tankstelle.

Wo kauft man Steaks?
Man kauft Steaks …

Man kauft Steaks in der Metzgerei.

Wo bekommt man Kuchen?
Man bekommt …

Man bekommt Kuchen in der Konditorei.

Wo läßt man Filme entwickeln?
Man läßt …

Man läßt Filme im Fotogeschäft entwickeln.

Wo läßt man seinen Anzug reinigen?
Man läßt seinen …

Man läßt seinen Anzug in der Reinigung reinigen.

Sehr gut! Hören Sie zu!

> *Angestellte: Kann ich bitte Ihren Ausweis sehen?*
>
> *Paul: Ich habe einen kanadischen Paß. Geht das?*
>
> *Angestellte: Ja, sicher. Für die Kontoeröffnung brauche ich auch Ihre Adresse, Telefonnummer und Name und Anschrift Ihrer Firma.*

Antworten Sie!

Braucht man für eine Kontoeröffnung einen Ausweis?

Ja, man braucht für eine Kontoeröffnung einen Ausweis.

Hat Paul einen Ausweis?

Nein, er hat keinen Ausweis.

Was hat er?

Er hat einen Paß.

Hat er einen deutschen oder einen kanadischen Paß?

Er hat einen kanadischen Paß.

Kann man auch mit einem Paß ein Konto eröffnen?

Ja, man kann auch mit einem Paß ein Konto eröffnen.

Schön. Hören Sie zu!

> *Paul: Ich bin gestern angekommen und habe noch keine Wohnung. Im Moment wohne ich im Hotel Mainblick am Sachsenhäuser Berg. Ich lasse auch meine Post in dieses Hotel schicken.*
>
> *Angestellte: Dann werde ich die Anschrift des Hotels in das Formular schreiben. Aber bitte teilen Sie uns Ihre neue Adresse mit, wenn Sie eine Wohnung haben.*

Antworten Sie!

Hat Paul schon eine Wohnung?

Nein, er hat noch keine Wohnung.

Wo wohnt er?

Er wohnt in einem Hotel.

Kommt seine Post in die Firma oder ins Hotel?

Sie kommt ins Hotel.

Schickt er die Post selbst?

Nein, er schickt sie nicht selbst.

Läßt er sie ins Hotel schicken?

Ja, er läßt sie ins Hotel schicken.

Bitte, wohin läßt er seine Post schicken?

Er läßt sie ins Hotel schicken.

Gut.

Wiederholen Sie!

Er schickt die Post nicht selbst.
Er läßt sie schicken.

Ich repariere meine Uhr nicht selbst.
Ich lasse sie …

Ich lasse sie reparieren.

Sie schreiben Ihre Briefe nicht selbst.
Sie …

Sie lassen sie schreiben.

Du buchst deine Reise nicht selbst.
Du …

Du läßt sie buchen.

Wir waschen unser Auto nicht selbst.
Wir …

Wir lassen es waschen.

Die Angestellte unterschreibt
das Formular nicht selbst.
Sie läßt …

Sie läßt es unterschreiben.

Sehr gut! Hören Sie zu!

> *Angestellte: Bei welcher Firma sind Sie?*
> *Paul: Ich arbeite bei Canatel hier in Frankfurt.*
> *Angestellte: Und wieviel möchten Sie einzahlen?*
> *Paul: 2000 kanadische Dollar in Reiseschecks.*

Antworten Sie!

Möchte Paul Geld abheben?

Nein, er möchte kein Geld abheben.

Er möchte Geld einzahlen, nicht?

Ja, er möchte Geld einzahlen.

Will er deutsches Geld einzahlen?

Nein, er will kein deutsches Geld einzahlen.

Was will er einzahlen?

Er will kanadisches Geld einzahlen.

Will er 200 Dollar einzahlen?

Nein, er will nicht 200 Dollar einzahlen.

Wieviel will er einzahlen?

Er will 2000 Dollar einzahlen.

Hat er Bargeld oder Reiseschecks?

Er hat Reiseschecks.

Sehr gut.

Die Angestellte läßt Paul die Formulare unterschreiben, nachdem sie sie ausgefüllt hat.

Hören Sie wieder zu!

> *Paul: Und dann möchte ich noch 250 Dollar in bar wechseln.*
> *Angestellte: Da gehen Sie bitte zur Kasse 1. Dort kann Ihnen meine Kollegin helfen.*
> *Paul: Danke!*

Antworten Sie!

Unterschreibt Paul die Formulare?

Ja, er unterschreibt sie.

Will er auch noch Geld wechseln?

Ja, er will auch noch Geld wechseln.

Möchte er 2000 Dollar oder
250 Dollar wechseln?

Er möchte 250 Dollar wechseln.

Kann er das bei der Angestellten
oder muß er zur Kasse 1?

Er muß zur Kasse 1.

Gut. Hören Sie zu!

> Paul: *Ach ... Noch etwas: Gibt es in der Nähe einen Supermarkt?*
>
> Angestellte: *Sicher. Wenn Sie aus der Bank kommen, gehen Sie links. Auf der rechten Seite ist eine Einkaufspassage mit einem großen Supermarkt.*
>
> Paul: *Vielen Dank! Auf Wiedersehen!*

Antworten Sie!

Fragt Paul nach einer Tankstelle?	Nein, er fragt nicht nach einer Tankstelle.
Wonach fragt er?	Er fragt nach einem Supermarkt.
Ist der Supermarkt weit von der Bank?	Nein, er ist nicht weit von der Bank.
Ist er im Bahnhof oder in einer Einkaufspassage?	Er ist in einer Einkaufspassage.

Sehr schön. Jetzt hören Sie noch einmal zu und wiederholen Sie!

– *Guten Morgen! Kann ich Ihnen helfen?*

– *Ja. Ich möchte gern ein Konto eröffnen.*

– *Sehr gern.*
  Kann ich bitte Ihren Ausweis sehen?

– *Ich habe einen kanadischen Paß. Geht das?*

– *Ja, sicher.*
  Für die Kontoeröffnung brauche ich auch Ihre Adresse, Telefonnummer und Name und Anschrift Ihrer Firma.

– *Ich bin gestern angekommen*
  und habe noch keine Wohnung.
  Im Moment wohne ich im Hotel Mainblick
  am Sachsenhäuser Berg.
  Ich lasse auch meine Post in dieses Hotel schicken.

– *Dann werde ich die Anschrift des Hotels in das Formular schreiben.*
  Aber bitte teilen Sie uns Ihre neue Adresse mit,
  wenn Sie eine Wohnung haben.
  Bei welcher Firma sind Sie?

– *Ich arbeite bei Canatel hier in Frankfurt.*

– *Und wieviel möchten Sie einzahlen?*

– *2000 kanadische Dollar in Reiseschecks.*
  Und dann möchte ich noch 250 Dollar in bar wechseln.

– *Da gehen Sie bitte zur Kasse 1.*
  Dort kann Ihnen meine Kollegin helfen.

– *Danke! Ach ... Noch etwas:*
  Gibt es in der Nähe einen Supermarkt?

– *Sicher.*
  Wenn Sie aus der Bank kommen, gehen Sie links.
  Auf der rechten Seite ist eine Einkaufspassage
  mit einem großen Supermarkt.

– *Vielen Dank! Auf Wiedersehen!*

Ausgezeichnet! Und wir sagen auch auf Wiedersehen. Das ist das Ende dieses Kapitels, das Ende von Kapitel 4. Vielen Dank … und auf Wiederhören!

Kapitel 5

Die Firma TransEuropa sucht eine neue Assistentin für Herrn Schulte, dem die Marketingabteilung untersteht. Die Leiterin der Personalabteilung hat auch schon eine Anzeige in der Zeitung geschaltet. Martina Dahl, der man für Montag einen Termin gegeben hat, kommt um 10 Uhr zum Vorstellungsgespräch.

Hören Sie zu!

Frau Ewers:	*Guten Morgen, Frau Dahl, mein Name ist Ewers, und das ist Herr Schulte, unser Marketingdirektor.*
Herr Schulte:	*Angenehm, Frau Dahl. Bitte nehmen Sie Platz.*
Frau Dahl:	*Vielen Dank!*

Antworten Sie!

Sucht die Firma eine neue Assistentin?	Ja, sie sucht eine neue Assistentin.
Hat man schon eine Anzeige geschaltet?	Ja, man hat schon eine Anzeige geschaltet.
Wo hat man die Anzeige geschaltet?	Man hat sie in der Zeitung geschaltet.
Hat sich Frau Dahl um die Stelle beworben?	Ja, sie hat sich um die Stelle beworben.
Trifft sie sich heute mit Herrn Schulte und Frau Ewers?	Ja, sie trifft sich heute mit ihnen.
Treffen sie sich im Café oder in der Firma?	Sie treffen sich in der Firma.
Sie treffen sich zu einem Vorstellungsgespräch, oder?	Ja, sie treffen sich zu einem Vorstellungsgespräch.

Gut. Hören Sie zu!

Herr Schulte:	*Ich habe hier Ihren Bewerbungsbrief. Darin schreiben Sie, daß Sie seit zwei Jahren bei der Firma Wiemer arbeiten. Können Sie mir etwas mehr über Ihre Arbeit dort sagen?*
Frau Dahl:	*Ja. Die Firma Wiemer ist eine kleine Werbeagentur. Ich arbeite als Sekretärin für den Firmendirektor. Ich nehme Diktate auf, ordne die Unterlagen meines Chefs, und wenn Kunden kommen, kümmere ich mich um sie.*

Antworten Sie!

Arbeitet Frau Dahl bei der Firma Wiemer?	Ja, sie arbeitet bei der Firma Wiemer.
Was für eine Firma ist das?	Das ist eine Werbeagentur.
Arbeitet sie dort als Direktorin oder als Sekretärin?	Sie arbeitet dort als Sekretärin.

Nimmt sie auch für ihren Chef Diktate auf?	Ja, sie nimmt auch für ihn Diktate auf.
Und sie kümmert sich auch um seine Unterlagen, oder?	Ja, sie kümmert sich darum.
Sehr gut. Hören Sie wieder zu!	

Frau Ewers: *Und warum wollen Sie zu einer anderen Firma?*

Frau Dahl: *Meine Arbeit gefällt mir gut, aber ich suche eine Stelle mit etwas mehr Verantwortung und möchte mehr Kontakt mit Kunden aus dem Ausland haben.*

Antworten Sie!

Gefällt Frau Dahl ihre Arbeit?	Ja, sie gefällt ihr.
Sucht sie jetzt eine Stelle mit weniger Verantwortung?	Nein, sie sucht keine Stelle mit weniger Verantwortung.
Was für eine Stelle sucht sie?	Sie sucht eine Stelle mit mehr Verantwortung.
Möchte sie auch Kontakt mit Kunden aus dem Ausland haben?	Ja, sie möchte auch Kontakt mit Kunden aus dem Ausland haben.
Gut. Hören Sie wieder zu!	

Herr Schulte: *Ah ja, ich sehe hier in Ihrem Lebenslauf, daß Sie auch Englisch sprechen.*

Frau Dahl: *Ja. Als ich letztes Jahr in London war, habe ich dort einen Englischkurs für Sekretärinnen gemacht.*

Herr Schulte: *Können Sie auch mit Computern arbeiten?*

Frau Dahl: *Aber natürlich. Ich habe schon mit verschiedenen Programmen gearbeitet und kenne WordPerfect, Lotus und Excel.*

Antworten Sie!

Spricht Frau Dahl auch Englisch?	Ja, sie spricht auch Englisch.
Hat sie Englisch zu Hause gelernt?	Nein, sie hat Englisch nicht zu Hause gelernt.
Sie hat einen Englischkurs für Sekretärinnen gemacht, nicht?	Ja, sie hat einen Englischkurs für Sekretärinnen gemacht.
Und wo hat sie diesen Kurs gemacht?	Sie hat ihn in London gemacht.
Hat Frau Dahl auch schon mit Computern gearbeitet?	Ja, sie hat auch schon mit Computern gearbeitet.
Kennt sie nur ein Programm oder verschiedene?	Sie kennt verschiedene Programme.
Gut. Hören Sie zu!	

Frau Ewers: *Also, Frau Dahl, wir bekommen viel Korrespondenz aus England und den USA. Die Person, die wir suchen, muß sich darum kümmern, und sie wird auch Herrn Schultes Besprechungen organisieren.*

Antworten Sie!

Wird sich die neue Assistentin um die Post kümmern?	Ja, sie wird sich darum kümmern.
Ist sie für die Korrespondenz mit Asien zuständig?	Nein, sie ist nicht für die Korrespondenz mit Asien zuständig.
Sie ist für die Korrespondenz mit England und den USA zuständig, nicht?	Ja, sie ist für die Korrespondenz mit England und den USA zuständig.
Muß die Assistentin auch Herrn Schultes Besprechungen organisieren?	Ja, sie muß auch seine Besprechungen organisieren.

Gut.

Die Personalleiterin erklärt Frau Dahl noch einige Details und beantwortet ein paar Fragen. Dann verabschiedet sie sich.

Hören Sie zu!

Frau Ewers: Gut, Frau Dahl. Wir danken Ihnen, daß Sie vorbeigekommen sind. Wir werden Ihnen unsere Entscheidung in ein paar Tagen mitteilen.

Frau Dahl: Vielen Dank! Auf Wiedersehen!

Antworten Sie!

Frau Ewers erklärt noch einige Details und beantwortet Fragen, nicht?	Ja, sie erklärt noch einige Details und beantwortet Fragen.
Weiß Frau Dahl schon, ob sie die Stelle bekommen wird?	Nein, sie weiß noch nicht, ob sie die Stelle bekommen wird.
Muß sie ein paar Wochen auf die Entscheidung warten?	Nein, sie muß nicht ein paar Wochen darauf warten.
Wie lange muß sie darauf warten?	Sie muß ein paar Tage darauf warten.

Sehr gut. Jetzt hören Sie noch einmal zu und wiederholen Sie!

– *Guten Morgen, Frau Dahl, mein Name ist Ewers,*
  und das ist Herr Schulte, unser Marketingdirektor.

– *Angenehm, Frau Dahl.*
  Bitte nehmen Sie Platz.

– *Vielen Dank!*

– *Ich habe hier Ihren Bewerbungsbrief.*
  Darin schreiben Sie,
  daß Sie seit zwei Jahren bei der Firma Wiemer arbeiten.
  Können Sie mir etwas mehr über Ihre Arbeit dort sagen?

– *Ja. Die Firma Wiemer ist eine kleine Werbeagentur.*
  Ich arbeite als Sekretärin für den Firmendirektor.
  Ich nehme Diktate auf,
  ordne die Unterlagen meines Chefs,
  und wenn Kunden kommen,
  kümmere ich mich um sie.

– *Und warum wollen Sie zu einer anderen Firma?*

– Meine Arbeit gefällt mir gut,
  aber ich suche eine Stelle mit etwas mehr Verantwortung
  und möchte mehr Kontakt mit Kunden aus dem Ausland haben.
– Ah ja, ich sehe hier in Ihrem Lebenslauf,
  daß Sie auch Englisch sprechen.
– Ja. Als ich letztes Jahr in London war,
  habe ich dort einen Englischkurs für Sekretärinnen gemacht.
– Können Sie auch mit Computern arbeiten?
– Aber natürlich.
  Ich habe schon mit verschiedenen Programmen gearbeitet
  und kenne WordPerfect, Lotus und Excel.
– Also, Frau Dahl,
  wir bekommen viel Korrespondenz aus England und den USA.
  Die Person, die wir suchen,
  muß sich darum kümmern,
  und sie wird auch Herrn Schultes Besprechungen organisieren.
– Gut, Frau Dahl.
  Wir danken Ihnen, daß Sie vorbeigekommen sind.
  Wir werden Ihnen unsere Entscheidung in ein paar Tagen mitteilen.
– Vielen Dank! Auf Wiedersehen!

Ausgezeichnet. Und das ist das Ende von Kapitel 5.
Vielen Dank … und … auf Wiederhören!

Kapitel 6

Marita Schöller sitzt in ihrem Büro. Sie sieht auf die Uhr: 8.50 Uhr. Sie wartet auf ihre Kollegin Elke Bartels. In 10 Minuten haben sie eine Besprechung mit einem wichtigen Kunden. Aber Elke ist immer noch nicht da. Plötzlich klingelt das Telefon.
Hören Sie zu!

> Marita: Firma TransEuropa, Marita Schöller!
> Elke: Marita, hier ist Elke …
> Marita: Elke, wo bist du denn?! Es ist fast 9 Uhr!!

Antworten Sie!

Sitzt Marita in ihrem Büro und wartet?	Ja, sie sitzt in ihrem Büro und wartet.
Wartet sie auf ihren Chef oder auf ihre Kollegin Elke?	Sie wartet auf ihre Kollegin Elke.
Hat sie in 10 Minuten eine Besprechung?	Ja, sie hat in 10 Minuten eine Besprechung.
Hat sie eine Besprechung mit einem wichtigen Kunden?	Ja, sie hat eine Besprechung mit einem wichtigen Kunden.
Ruft jemand an?	Ja, jemand ruft an.
Wer ruft an? Der Chef oder Elke?	Elke ruft an.

Gut. Hören Sie zu!

> *Elke:* Ich bin im Verkehr steckengeblieben. Jetzt stehe ich in einer Telefonzelle in der Bockenheimer Straße. Ich mußte in der zweiten Reihe parken, um dich anzurufen.
>
> *Marita:* Und wann kannst du hier sein? Die Besprechung fängt gleich an!
>
> *Elke:* Keine Ahnung! So ein Stau kann lange dauern.

Antworten Sie!

Wird Elke gleich kommen?	Nein, sie wird nicht gleich kommen.
Warum? Ist sie im Verkehr steckengeblieben?	Ja, sie ist im Verkehr steckengeblieben.
Ruft sie von zu Hause an?	Nein, sie ruft nicht von zu Hause an.
Ruft sie vom Büro oder von einer Telefonzelle an?	Sie ruft von einer Telefonzelle an.
Konnte sie einen Parkplatz finden?	Nein, sie konnte keinen Parkplatz finden.
Mußte sie in der 2. Reihe parken?	Ja, sie mußte in der 2. Reihe parken.
Bitte, wo mußte sie parken?	Sie mußte in der 2. Reihe parken.

Gut.

Wiederholen Sie!

Elke muß in der 2. Reihe parken.	
Sie mußte in der 2. Reihe parken.	
Sie kann keinen Parkplatz finden.	
Sie konnte …	Sie konnte keinen Parkplatz finden.
Hier darf man nicht parken.	
Hier …	Hier durfte man nicht parken.
Ich will den Bus nehmen.	
Ich …	Ich wollte den Bus nehmen.
Sie müssen zum Bahnsteig 1.	
Sie …	Sie mußten zum Bahnsteig 1.
Wir können die Buchmesse besuchen.	Wir konnten die Buchmesse besuchen.

Sehr gut. Hören Sie wieder zu!

> *Marita:* Gibt es keine Nebenstraßen, wo weniger Verkehr ist?
>
> *Elke:* Alles ist total blockiert. Ich bin in der letzten halben Stunde nur ein paar Meter gefahren.
>
> *Marita:* Was ist denn? Eine Baustelle?
>
> *Elke:* Nein, aber ich habe gerade im Radio gehört, daß heute die Internationale Automobilmesse anfängt.
>
> *Marita:* Ach ja, richtig. Das habe ich ganz vergessen.

Antworten Sie!

Gibt es Nebenstraßen, wo weniger Verkehr ist?	Nein, es gibt keine Nebenstraßen, wo weniger Verkehr ist.

Konnte Elke fahren, oder
ist alles total blockiert?

Alles ist total blockiert.

Gibt es eine Baustelle?

Nein, es gibt keine Baustelle.

Fängt heute die Buchmesse an?

Nein, die Buchmesse fängt heute nicht an.

Welche Messe fängt heute an?

Die Automobilmesse fängt heute an.

Hat Elke das in der Zeitung gelesen?

Nein, sie hat es nicht in der Zeitung gelesen.

Wo hat sie davon gehört?

Sie hat davon im Radio gehört.

Schön. Hören Sie zu!

> Marita: Und was machen wir jetzt? Der Kunde ist schon da, und in ein paar Minuten fängt die Besprechung an!
>
> Elke: Ich habe eine Idee! Es gibt hier eine Tiefgarage. Da kann ich mein Auto parken. Und dann nehme ich die U-Bahn.

Antworten Sie!

Ist der Kunde schon da?

Ja, er ist schon da.

Und die Besprechung fängt in ein paar Minuten an, stimmt's?

Ja, sie fängt in ein paar Minuten an.

Gibt es keine Lösung oder hat Elke eine Idee?

Elke hat eine Idee.

Wird sie ihr Auto vor der Telefonzelle parken?

Nein, sie wird es nicht vor der Telefonzelle parken.

Wo wird sie parken?

Sie wird in einer Tiefgarage parken.

Kommt sie dann mit einem Taxi in die Firma?

Nein, sie kommt nicht mit einem Taxi in die Firma.

Wie wird sie in die Firma kommen?

Sie wird mit der U-Bahn in die Firma kommen.

Gut. Hören Sie zu!

> Elke: Und dann nehme ich die U-Bahn. In der Taunusstraße ist eine Haltestelle.
>
> Marita: Stimmt! Das geht schneller. Wenn du nicht zu lange warten mußt, kannst du in 15 Minuten hier sein. Beeil dich!
>
> Elke: Ich bin schon unterwegs.

Antworten Sie!

Geht Elke zum Bahnhof?

Nein, sie geht nicht zum Bahnhof.

Geht sie in die Taunusstraße?

Ja, sie geht in die Taunusstraße.

Ist dort ihr Büro?

Nein, dort ist nicht ihr Büro.

Was ist in der Taunusstraße?

Dort ist eine U-Bahnhaltestelle.

Aha, sie geht in die Taunusstraße, denn dort ist eine U-Bahnhaltestelle, stimmt's?

Ja, sie geht in die Taunusstraße, denn dort ist eine U-Bahnhaltestelle.

Bitte, warum geht sie in die Taunusstraße?

Sie geht in die Taunusstraße, denn dort ist eine U-Bahnhaltestelle.

Gut.

Wiederholen Sie!
Sie geht in die Taunusstraße.
Dort ist eine U-Bahnhaltestelle.
Sie geht in die Taunusstraße, denn
dort ist eine U-Bahnhaltestelle.

Sie will die U-Bahn nehmen.
Sie geht in die Taunusstraße,   Sie geht in die Taunusstraße, denn
denn sie …   sie will die U-Bahn nehmen.

Die Haltestelle ist nicht weit.
Sie geht in die Taunusstraße,   Sie geht in die Taunusstraße, denn
denn …   die Haltestelle ist nicht weit.

Die U-Bahn fährt in 10 Minuten.
Sie geht in die Taunusstraße,   Sie geht in die Taunusstraße, denn
denn …   die U-Bahn fährt in 10 Minuten.

Ausgezeichnet! Bitte hören Sie jetzt noch einmal zu und wiederholen Sie!

– *Firma TransEuropa, Marita Schöller!*

– *Marita, hier ist Elke …*

– *Elke, wo bist du denn?!*
 Es ist fast 9 Uhr!!

– *Ich bin im Verkehr steckengeblieben.*
 Jetzt stehe ich in einer Telefonzelle in der
 Bockenheimer Straße.
 Ich mußte in der zweiten Reihe parken,
 um dich anzurufen.

– *Und wann kannst du hier sein?*
 Die Besprechung fängt gleich an!

– *Keine Ahnung!*
 So ein Stau kann lange dauern.

– *Gibt es keine Nebenstraßen,*
 wo weniger Verkehr ist?

– *Alles ist total blockiert.*
 Ich bin in der letzten halben Stunde nur ein paar Meter gefahren.

– *Was ist denn? Eine Baustelle?*

– *Nein, aber ich habe gerade im Radio gehört,*
 daß heute die Internationale Automobilmesse anfängt.

– *Ach ja, richtig.*
 Das habe ich ganz vergessen.
 Und was machen wir jetzt?
 Der Kunde ist schon da,
 und in ein paar Minuten fängt die Besprechung an!

– *Ich habe eine Idee!*

Es gibt hier eine Tiefgarage.
Da kann ich mein Auto parken.
Und dann nehme ich die U-Bahn.
In der Taunusstraße ist eine Haltestelle.

– *Stimmt! Das geht schneller.*
Wenn du nicht zu lange warten mußt,
kannst du in 15 Minuten hier sein.
Beeil dich!

– *Ich bin schon unterwegs.*

Ausgezeichnet! Ja, und das ist das Ende dieses Kapitels. Das ist das Ende von Kapitel 6. Vielen Dank … und … auf Wiederhören!

Kapitel 7

Anita Bauer und Rolf Wagner haben für Sonntag ein paar Freunde zu einem Picknick eingeladen. Sie wollen gemeinsam aufs Land fahren und haben während der letzten Tage schon alles organisiert. Es ist Sonntag morgen, 8 Uhr, als Rolf bei Anita anruft. Hören Sie zu!

Anita: *Bauer.*

Rolf: *Ich bin's, Rolf. Hast du heute morgen schon aus dem Fenster gesehen?*

Anita: *Ja, ja, ich weiß. Es regnet in Strömen!*

Antworten Sie!

Haben Anita und Rolf ein
paar Freunde eingeladen?

Ja, sie haben ein paar Freunde eingeladen.

Wollen sie eine Party feiern oder
picknicken?

Sie wollen picknicken.

Wollen sie gemeinsam in die Stadt
fahren?

Nein, sie wollen nicht gemeinsam
in die Stadt fahren.

Wohin wollen sie fahren?

Sie wollen aufs Land fahren.

Scheint die Sonne?

Nein, sie scheint nicht.

Schneit es oder regnet es?

Es regnet.

Regnet es nur ein bißchen?

Nein, es regnet nicht nur ein bißchen.

Es regnet in Strömen, oder?

Ja, es regnet in Strömen.

Gut. Hören Sie zu!

Rolf: *Und was machen wir jetzt? Bei so einem Regen kommt ein Picknick*
nicht in Frage! Und wir können wegen des Wetters nicht einfach
absagen. Wir haben ja schon die Leute eingeladen und das Essen
eingekauft.

Anita: *Na ja, das Picknick ist heute nachmittag. Das Wetter ändert sich*
bestimmt noch.

Antworten Sie!

Ist das Wetter gut?

Nein, es ist nicht gut.

Wie ist das Wetter?	Es ist schlecht.
Trotzdem sagt Rolf nicht ab, stimmt's?	Ja, trotzdem sagt er nicht ab.
Bitte, trotz des schlechten Wetters sagt er nicht ab?	Ja, trotz des schlechten Wetters sagt er nicht ab.
Sehr gut.	

Wiederholen Sie!
Das Wetter ist schlecht.
Trotz des schlechten Wetters

Der Winter ist kalt.	
Wegen des …	Wegen des kalten Winters
Der Regen ist stark.	
Trotz …	Trotz des starken Regens
Die Nächte sind lang.	
Während …	Während der langen Nächte
Das Essen ist teuer.	
Wegen …	Wegen des teuren Essens
Die Pause ist kurz.	
Während …	Während der kurzen Pause

Sehr gut. Hören Sie zu!

> **Anita:** *Ich habe gerade die Wettervorhersage im Radio gehört. Gegen Mittag soll es aufhören zu regnen.*
>
> **Rolf:** *Wie du weißt, kann man sich auf den Wetterbericht nicht verlassen. Vor ein paar Tagen hieß es im Fernsehen, daß wir heute das schönste Wetter haben werden. Und trotzdem haben wir jetzt nur graue Wolken am Himmel!*

Antworten Sie!

Hat Anita den Wetterbericht gehört?	Ja, sie hat den Wetterbericht gehört.
Wo hat sie ihn gehört?	Sie hat ihn im Radio gehört.
Wird es den ganzen Tag regnen?	Nein, es wird nicht den ganzen Tag regnen.
Der Regen soll gegen Mittag aufhören, nicht?	Ja, der Regen soll gegen Mittag aufhören.
Glaubt Rolf auch, daß es aufhören wird zu regnen?	Nein, er glaubt nicht, daß es aufhören wird zu regnen.
Verläßt er sich auf den Wetterbericht?	Nein, er verläßt sich nicht darauf.
War der Wetterbericht vor ein paar Tagen falsch oder richtig?	Er war falsch.
Haben sie das schönste Wetter?	Nein, sie haben nicht das schönste Wetter.
Sie haben das schlechteste Wetter, stimmt's?	Ja, sie haben das schlechteste Wetter.
Sehr gut.	

Wiederholen Sie!
Das Wetter ist sehr schlecht.
Das ist das schlechteste Wetter.
Das war ein sehr schöner Tag.
Das war der ...   Das war der schönste Tag.

Das Essen war sehr teuer.
Das war das ...   Das war das teuerste Essen.

Anita und Rolf sind gute Freunde.
Sie sind die ...   Sie sind die besten Freunde.

Diese Stadt ist sehr alt.
Sie ist die ...   Sie ist die älteste Stadt.

Mein Auto ist sehr schnell.
Es ist ...   Es ist das schnellste Auto.

Prima! Hören Sie wieder zu!

> Rolf: *Und trotzdem haben wir jetzt nur graue Wolken am Himmel!*
> Anita: *Keine Panik! Du wirst sehen, in ein paar Stunden wird die Sonne scheinen!*
> Rolf: *Und wenn nicht?*
> Anita: *Dann rufen wir die anderen an und treffen uns bei mir. Ich habe ja eine große Wohnung.*
> Rolf: *Ich weiß nicht, ein Picknick in einer Wohnung ...?*

Antworten Sie!
Regnet es noch?   Ja, es regnet noch.

Werden die Freunde zum Picknick   Nein, sie werden nicht zum Picknick
fahren, wenn es regnet?   fahren, wenn es regnet.

Werden sie sich in einer Kneipe   Nein, sie werden sich nicht in einer
treffen?   Kneipe treffen.

Wo werden sie sich treffen?   Sie werden sich in einer Wohnung treffen.

Werden sie sich bei Rolf treffen?   Nein, sie werden sich nicht bei Rolf
                                                treffen.

Bei wem werden sie sich treffen?   Sie werden sich bei Anita treffen.

Schön. Hören Sie zu!

> Rolf: *Ich weiß nicht, ein Picknick in einer Wohnung ...?*
> Anita: *Warum nicht? Das ist immer noch die einfachste Lösung.*
> Rolf: *Na gut, warten wir noch etwas. Ach ... Sieh doch mal aus dem Fenster: Ich glaube, es wird schon heller, und es regnet nicht mehr so schlimm!*

Antworten Sie!
Treffen Rolf und Anita schon eine
Entscheidung oder warten sie noch?   Sie warten noch.

Regnet es immer noch in Strömen?   Nein, es regnet nicht mehr in Strömen.

Es regnet nur noch ein bißchen, oder?   Ja, es regnet nur noch ein bißchen.

Wird es auch schon heller?   Ja, es wird auch schon heller.

So, jetzt hören Sie bitte noch einmal zu, und wiederholen Sie!

– *Bauer.*
– *Ich bin's, Rolf.*
  Hast du heute morgen schon aus dem Fenster gesehen?
– *Ja, ja, ich weiß.*
  Es regnet in Strömen!
– *Und was machen wir jetzt?*
  Bei so einem Regen kommt ein Picknick nicht in Frage!
  Und wir können wegen des Wetters nicht einfach absagen.
  Wir haben ja schon die Leute eingeladen
  und das Essen eingekauft.
– *Na ja, das Picknick ist heute nachmittag.*
  Das Wetter ändert sich bestimmt noch.
  Ich habe gerade die Wettervorhersage im Radio gehört.
  Gegen Mittag soll es aufhören zu regnen.
– *Wie du weißt, kann man sich auf den Wetterbericht nicht verlassen.*
  Vor ein paar Tagen hieß es im Fernsehen,
  daß wir heute das schönste Wetter haben werden.
  Und trotzdem haben wir jetzt nur graue Wolken am Himmel!
– *Keine Panik!*
  Du wirst sehen,
  in ein paar Stunden wird die Sonne scheinen!
– *Und wenn nicht?*
– *Dann rufen wir die anderen an*
  und treffen uns bei mir.
  Ich habe ja eine große Wohnung.
– *Ich weiß nicht, ein Picknick in einer Wohnung ...?*
– *Warum nicht?*
  Das ist immer noch die einfachste Lösung.
– *Na gut, warten wir noch etwas.*
  Ach ... Sieh doch mal aus dem Fenster.
  Ich glaube, es wird schon heller,
  und es regnet nicht mehr so schlimm!

Ausgezeichnet. Na, dann viel Spaß beim Picknick. Und das ist das Ende dieses Kapitels, das Ende von Kapitel 7. Vielen Dank ... und ... auf Wiederhören!

Kapitel 8

Der Kanadier Paul Fraser sucht seit einiger Zeit eine Wohnung in Frankfurt. Aber er hat noch keine Wohnung gefunden, von der er wirklich begeistert ist. Entweder ist sie zu klein oder zu teuer oder zu weit außerhalb. Jetzt geht er wieder den Anzeigenteil der *Frankfurter Rundschau* durch. Paul sieht eine Wohnung, für die er sich interessiert und ruft den Vermieter an.

Hören Sie zu!

Vermieter: Horst Köbel, guten Tag!

Paul: Guten Tag, mein Name ist Paul Fraser. Sie haben eine Anzeige in der Zeitung. Ist die Wohnung noch frei?

Antworten Sie!

Sucht Paul eine Wohnung?

Ja, er sucht eine Wohnung.

Hat Paul schon eine Wohnung gefunden?

Nein, er hat noch keine Wohnung gefunden.

Aber er hat sich schon Wohnungen angesehen, oder?

Ja, er hat sich schon Wohnungen angesehen.

Hat ihm eine gefallen?

Nein, ihm hat keine gefallen.

Liest Paul heute die *Frankfurter Rundschau*?

Ja, er liest heute die *Frankfurter Rundschau*.

Geht er wieder die Anzeigen durch?

Ja, er geht wieder die Anzeigen durch.

Wen ruft er an, seinen Chef oder den Vermieter?

Er ruft den Vermieter an.

Gut. Hören Sie zu!

Paul: Sie haben eine Anzeige in der Zeitung. Ist die Wohnung noch frei?

Vermieter: Es tut mir leid, aber die Wohnung ist schon weg. Wir haben sie vor einer Stunde vermietet.

Paul: Schade, aber da kann man nichts machen. Vielen Dank, Herr Köbel!

Antworten Sie!

Ist die Wohnung noch frei?

Nein, sie ist nicht mehr frei.

Ist sie schon vermietet?

Ja, sie ist schon vermietet.

Hat Herr Köbel sie vor einer Woche vermietet?

Nein, er hat sie nicht vor einer Woche vermietet.

Wann hat er sie vermietet?

Er hat sie vor einer Stunde vermietet.

Gut.

Das war wirklich Pech! Aber es gibt ja noch mehr Wohnungen. Hier:
2-Zimmer-Wohnung mit Küche und Bad im Frankfurter Westend. Paul wählt die Nummer.

Hören Sie zu!

Vermieterin: Albrecht.

Paul: Paul Fraser, guten Tag! Ich habe Ihre Anzeige in der Zeitung gelesen. Ist die Wohnung schon vermietet?

Vermieterin: Nein. Aber ich habe sie schon einigen Leuten gezeigt.

Antworten Sie!

Sieht Paul noch eine andere Wohnung in der Zeitung?

Ja, er sieht noch eine andere Wohnung in der Zeitung.

Ist es eine 5-Zimmer-Wohnung oder eine 2-Zimmer-Wohnung?

Es ist eine 2-Zimmer-Wohnung.

Wen ruft er an?

Er ruft die Vermieterin an.

Ist diese Wohnung schon vermietet?

Nein, diese Wohnung ist noch nicht vermietet.

Hat die Vermieterin die Wohnung schon jemandem gezeigt?

Ja, sie hat sie schon jemandem gezeigt.

Schön. Hören Sie zu!

> *Paul:* Sagen Sie, wie hoch ist denn die Miete?
>
> *Vermieterin:* 1500 DM im Monat kalt.
>
> *Paul:* Und die Nebenkosten?
>
> *Vermieterin:* Für Strom und Heizung müssen Sie mit ungefähr 200 DM rechnen. Möchten Sie sich die Wohnung ansehen?
>
> *Paul:* Ja, ich bin sehr interessiert.

Antworten Sie!

Möchte Paul wissen, wie hoch die Miete im Jahr ist?

Nein, er möchte nicht wissen, wie hoch sie im Jahr ist.

Was möchte er wissen?

Er möchte wissen, wie hoch sie im Monat ist.

Fragt er auch nach den Nebenkosten?

Ja, er fragt auch nach den Nebenkosten.

Muß er mit 2000 DM oder mit 200 DM Nebenkosten rechnen?

Er muß mit 200 DM Nebenkosten rechnen.

Ist Paul an der Wohnung interessiert oder nicht interessiert?

Er ist an ihr interessiert.

Möchte er die Wohnung sehen?

Ja, er möchte sie sehen.

Gut. Hören Sie wieder zu!

> *Vermieterin:* Möchten Sie sich die Wohnung ansehen?
>
> *Paul:* Ja, ich bin sehr interessiert. Wann paßt es Ihnen denn am besten?
>
> *Vermieterin:* Sagen wir heute abend um halb 7?
>
> *Paul:* Das geht. Und wie ist die Adresse?
>
> *Vermieterin:* Ulmenstraße 8. Wissen Sie, wo das ist?
>
> *Paul:* Ja, so ungefähr.

Antworten Sie!

Wird sich Paul die Wohnung ansehen?

Ja, er wird sie sich ansehen.

Wird er sich die Wohnung morgen abend ansehen?

Nein, er wird sie sich nicht morgen abend ansehen.

Wann wird er sich die Wohnung ansehen?

Er wird sich die Wohnung heute abend ansehen.

Paul und die Vermieterin werden sich um halb 7 treffen, oder?

Ja, sie werden sich um halb 7 treffen.

Ist die Wohnung in der Ulmenstraße?   Ja, sie ist in der Ulmenstraße.

Weiß Paul genau, wo das ist?   Nein, er weiß nicht genau, wo das ist.

Aber er weiß es ungefähr, nicht?   Ja, er weiß es ungefähr.

Schön. Hören Sie zu!

> Paul: *Gibt es eine U-Bahn, mit der man leicht dahin kommt?*
>
> Vermieterin: *Nehmen Sie die Linie 6, und steigen Sie an der Haltestelle Westend aus. Die nächste Straße rechts ist die Ulmenstraße. Nach 100 Metern sehen Sie das Haus auf der linken Seite. Klingeln Sie bei Gottschalk.*
>
> Paul: *Gut. Das werde ich schon finden. Auf Wiederhören!*

Antworten Sie!

Ist die Wohnung im Ostend?   Nein, sie ist nicht im Ostend.

Wo ist die Wohnung?   Sie ist im Westend.

Erklärt die Vermieterin, wie man dahin kommt?   Ja, sie erklärt, wie man dahin kommt.

Wird Paul mit dem Auto fahren?   Nein, er wird nicht mit dem Auto fahren.

Womit fährt er?   Er fährt mit der U-Bahn.

Glaubt er, er wird die Wohnung leicht finden?   Ja, er glaubt, er wird sie leicht finden.

Sehr gut. Bitte hören Sie noch einmal zu und wiederholen Sie!

– *Horst Köbel, guten Tag!*

– *Guten Tag, mein Name ist Paul Fraser.*
  Sie haben eine Anzeige in der Zeitung.
  Ist die Wohnung noch frei?

– *Es tut mir leid, aber die Wohnung ist schon weg.*
  Wir haben sie vor einer Stunde vermietet.

– *Schade, aber da kann man nichts machen.*
  Vielen Dank, Herr Köbel!
  * * * *

– *Albrecht.*

– *Paul Fraser, guten Tag!*
  Ich habe Ihre Anzeige in der Zeitung gelesen.
  Ist die Wohnung schon vermietet?

– *Nein. Aber ich habe sie schon einigen Leuten gezeigt.*

– *Sagen Sie, wie hoch ist denn die Miete?*

– *1500 DM im Monat kalt.*

– *Und die Nebenkosten?*

– *Für Strom und Heizung müssen Sie mit ungefähr 200 DM rechnen.*
  Möchten Sie sich die Wohnung ansehen?

– *Ja, ich bin sehr interessiert.*
  Wann paßt es Ihnen denn am besten?

– *Sagen wir heute abend um halb 7?*

– Das geht. Und wie ist die Adresse?

– Ulmenstraße 8.
  Wissen Sie, wo das ist?

– Ja, so ungefähr.
  Gibt es eine U-Bahn,
  mit der man leicht dahin kommt?

– Nehmen Sie die Linie 6,
  und steigen Sie an der Haltestelle Westend aus.
  Die nächste Straße rechts ist die Ulmenstraße.
  Nach 100 Metern sehen Sie das Haus auf der linken Seite.
  Klingeln Sie bei Gottschalk.

– Gut. Das werde ich schon finden.
  Auf Wiederhören!

Ausgezeichnet! Und das ist das Ende dieses Kapitels. Das ist das Ende von Kapitel 8.
Vielen Dank … und … auf Wiederhören!

Kapitel 9

Im März fuhr Klaus Huber von Bonn nach Basel in der Schweiz. Er besuchte Freunde,
die er letztes Jahr im Urlaub kennengelernt hatte. Außerdem wollte er sich die Basler
Fasnacht ansehen, von der er schon viel gehört hatte. Seine Freunde Max und Hilde
warteten schon am Bahnhof auf ihn.

Hören Sie zu!

Max: Grüezi, Klaus! Wie war deine Reise?

Klaus: Gut. Ich freue mich sehr, euch zu sehen.

Hilde: Wir uns auch. Du bist bestimmt müde von der Reise. Komm, wir fahren
        erst einmal in unsere Wohnung.

Antworten Sie!

Ist Klaus im März nach Basel oder nach Zürich gefahren?	Er ist im März nach Basel gefahren.
Hat er Kunden besucht?	Nein, er hat keine Kunden besucht.
Wen hat er besucht?	Er hat Freunde besucht.
Haben sie ihn jetzt eingeladen?	Nein, sie haben ihn nicht jetzt eingeladen.
Sie hatten ihn eingeladen, bevor er nach Basel fuhr, stimmt's?	Ja, sie hatten ihn eingeladen, bevor er nach Basel fuhr.
Bitte, wann hatten sie ihn eingeladen?	Sie hatten ihn eingeladen, bevor er nach Basel fuhr.
Gut.	

Wiederholen Sie!
Sie haben ihn eingeladen.
Bevor er nach Basel fuhr, hatten
sie ihn eingeladen.

Sie haben ihn angerufen.
Bevor er nach Basel fuhr, hatten …

Bevor er nach Basel fuhr, hatten sie
ihn angerufen.

Er hat eine Fahrkarte gekauft.
Bevor er nach …

Bevor er nach Basel fuhr, hatte er
eine Fahrkarte gekauft.

Er hat einen Platz reserviert.
Bevor er …

Bevor er nach Basel fuhr, hatte er
einen Platz reserviert.

Ich habe ihm von der Fasnacht erzählt.
Bevor …

Bevor er nach Basel fuhr, hatte ich
ihm von der Fasnacht erzählt.

Sehr gut.

Nachdem sich Klaus etwas ausgeruht hatte, erzählten ihm seine Freunde von der
berühmten Basler Fasnacht.

Hören Sie zu!

> *Klaus:* Sagt mal, wie lange gibt es denn schon die Basler Fasnacht?
>
> *Max:* Seit der Römerzeit. Damals hat man schon im Dezember das Ende des
> Winters gefeiert.

Antworten Sie!

Was ist Fasnacht? Ist das ein
alter Brauch?

Ja, das ist ein alter Brauch.

Das ist ein Brauch aus der
Römerzeit, oder?

Ja, das ist ein Brauch aus der
Römerzeit.

Feierte man damals den Anfang
des Winters?

Nein, man feierte damals nicht
den Anfang des Winters.

Was feierte man?

Man feierte das Ende des Winters.

Schön. Hören Sie zu!

> *Max:* An Fasnacht haben sich die Sklaven als Herren verkleidet und umgekehrt.
> Man hat sein Gesicht hinter einer Maske versteckt und konnte so jedem
> die Meinung sagen.
>
> *Klaus:* Das war bestimmt ganz lustig.

Antworten Sie!

Haben sich die Herren an Fasnacht
verkleidet?

Ja, die Herren haben sich an Fasnacht
verkleidet.

Verkleideten sich die Herren als Sklaven?

Ja, sie verkleideten sich als Sklaven.

Und wie verkleideten sich die Sklaven?

Sie verkleideten sich als Herren.

Konnte man die Gesichter der Leute
sehen?

Nein, man konnte sie nicht sehen.

Jeder hatte sein Gesicht hinter
einer Maske versteckt, oder?

Ja, jeder hatte sein Gesicht hinter
einer Maske versteckt.

Gut. Hören Sie wieder zu!

> *Klaus:* Und wie feiert man heute, wo es doch keine Sklaven mehr gibt?
>
> *Hilde:* Diese Tradition hat sich nicht sehr viel verändert. Heute macht man sich
> über die Freunde, Nachbarn und den Chef lustig. Die Fasnächtler werden

auch mit uns ihren Spaß haben, wenn sie mit ihren Kostümen, Masken und viel Musik durch die Straßen ziehen.

Klaus: Und wie lange feiert man hier die Fasnacht?

Max: Drei Tage. Am Donnerstag morgen ist alles vorbei.

Antworten Sie!

Hat sich der Brauch sehr verändert?	Nein, er hat sich nicht sehr verändert.
Macht man sich immer noch über Leute lustig?	Ja, man macht sich immer noch über Leute lustig.
Über wen macht man sich lustig? Über die Freunde und Nachbarn?	Ja, man macht sich über die Freunde und Nachbarn lustig.

Gut. Hören Sie zu!

Klaus: Sagt mal, verkleidet ihr euch auch? Ich habe gar kein Kostüm mitgebracht.

Hilde: Die Zuschauer verkleiden sich meistens nicht. Das tun die Fasnachtsclubs, die hier Cliquen heißen. Aber das wirst du sehen, wenn du morgen früh mit uns durch die Altstadt läufst.

Klaus: Was heißt hier morgen früh? Wann geht's denn los?

Max: Um 4 Uhr. Deshalb müssen wir auch früh ins Bett, damit wir morgen rechtzeitig aus den Federn kommen.

Antworten Sie!

Gehen die Freunde bald schlafen?	Ja, sie gehen bald schlafen.
Werden sie morgen spät aufstehen?	Nein, sie werden morgen nicht spät aufstehen.
Wann müssen sie aufstehen?	Sie müssen früh aufstehen.
Sieht man die Fasnächtler schon um 4 durch die Straßen ziehen?	Ja, man sieht sie schon um 4 durch die Straßen ziehen.
Bitte, wann sieht man sie durch die Straßen ziehen?	Man sieht sie um 4 durch die Straßen ziehen.
Hört man die Fasnächtler auch Musik machen?	Ja, man hört sie auch Musik machen.
Bitte, was hört man?	Man hört sie Musik machen.

Sehr gut! Hören Sie noch einmal zu, und wiederholen Sie!

– Grüezi, Klaus! Wie war deine Reise?

– Gut. Ich freue mich sehr, euch zu sehen.

– Wir uns auch. Du bist bestimmt müde von der Reise.
  Komm, wir fahren erst einmal in unsere Wohnung.

– Sagt mal, wie lange gibt es denn schon die Basler Fasnacht?

– Seit der Römerzeit.
  Damals hat man schon im Dezember das Ende des Winters gefeiert.
  An Fasnacht haben sich die Sklaven als Herren verkleidet
    und umgekehrt.

Man hat sein Gesicht hinter einer Maske versteckt
und konnte so jedem die Meinung sagen.
- Das war bestimmt ganz lustig.
Und wie feiert man heute,
wo es doch keine Sklaven mehr gibt?
- Diese Tradition hat sich nicht sehr viel verändert.
Heute macht man sich über die Freunde, Nachbarn und den Chef lustig.
Die Fasnächtler werden auch mit uns ihren Spaß haben,
wenn sie mit ihren Kostümen, Masken und viel Musik durch
die Straßen ziehen.
- Und wie lange feiert man hier die Fasnacht?
- Drei Tage. Am Donnerstag morgen ist alles vorbei.
- Sagt mal, verkleidet ihr euch auch?
Ich habe gar kein Kostüm mitgebracht.
- Die Zuschauer verkleiden sich meistens nicht.
Das tun die Fasnachtsclubs, die hier Cliquen heißen.
Aber das wirst du sehen,
wenn du morgen früh mit uns durch die Altstadt läufst.
- Was heißt hier morgen früh?
Wann geht's denn los?
- Um 4 Uhr.
Deshalb müssen wir auch früh ins Bett,
damit wir morgen rechtzeitig aus den Federn kommen.
Ausgezeichnet! Und wir sagen gute Nacht. Tja, und das ist das Ende von Kapitel 9.
Vielen Dank ... und ... auf Wiederhören!

Kapitel 10

Paul Fraser aus Kanada und seine Kollegin Jutta Eisner gehen am Donnerstag abend
nach der Arbeit ein Bier trinken.
Hören Sie zu!

Paul: Sag' mal, Jutta, hast du am Samstag abend Lust, ins Kino zu gehen?

Jutta: Tut mir leid, am Samstag kann ich nicht. Zwei Freunde von mir heiraten,
und sie haben mich zu ihrer Hochzeit eingeladen.

Paul: Und wie wär's mit morgen abend?

Jutta: Morgen geht's auch nicht. Da gehe ich zum Polterabend.

Antworten Sie!

Heiraten Juttas Freunde am Samstag?	Ja, sie heiraten am Samstag.
Ist Jutta zu ihrem Geburtstagsfest eingeladen?	Nein, sie ist nicht zu ihrem Geburtstagsfest eingeladen.
Wozu ist sie eingeladen?	Sie ist zu ihrer Hochzeit eingeladen.

Und morgen geht sie zum Polterabend, oder?

Ja, morgen geht sie zum Polterabend.

Wird der Polterabend nach der Hochzeit gefeiert?

Nein, er wird nicht nach der Hochzeit gefeiert.

Wann wird der Polterabend gefeiert?

Er wird vor der Hochzeit gefeiert.

Bitte, was wird vor der Hochzeit gefeiert?

Der Polterabend wird vor der Hochzeit gefeiert.

Gut.

Wiederholen Sie!

Man feiert den Polterabend vor der Hochzeit.

Der Polterabend wird vor der Hochzeit gefeiert.

Auf der Feier trinkt man Wein.

Auf der Feier wird ...

Auf der Feier wird Wein getrunken.

Man singt viele Lieder.

Viele Lieder ...

Viele Lieder werden gesungen.

Die Braut plant die Hochzeit.

Die Hochzeit wird von der Braut ...

Die Hochzeit wird von der Braut geplant.

Die Eltern laden die Gäste ein.

Die Gäste werden von ...

Die Gäste werden von den Eltern eingeladen.

Sehr gut. Hören Sie wieder zu!

> Paul: *Polterabend? Was ist denn das?*
>
> Jutta: *Das ist ein alter deutscher Brauch. Am Abend vor der Hochzeit wird im Haus der Braut gefeiert. Die Gäste bringen altes Geschirr mit und werfen es mit viel Lärm vor die Haustür. Man sagt, das bringt dem Brautpaar Glück.*

Antworten Sie!

Feiert man in der Firma der Braut?

Nein, man feiert nicht in der Firma der Braut.

Wo feiert man?

Man feiert im Haus der Braut.

Wer bringt Geschirr mit, das Brautpaar oder die Gäste?

Die Gäste bringen Geschirr mit.

Wird es in die Küche geworfen?

Nein, es wird nicht in die Küche geworfen.

Es wird vor die Haustür geworfen, nicht?

Ja, es wird vor die Haustür geworfen.

Schön. Hören Sie zu!

> Paul: *Und wer kümmert sich dann um die vielen Scherben?*
>
> Jutta: *Die Scherben werden anschließend von Braut und Bräutigam gemeinsam zusammengekehrt. Das ist wichtig für eine gute und harmonische Ehe.*

Antworten Sie!

Läßt man die Scherben vor der Tür liegen?

Nein, man läßt sie nicht vor der Tür liegen.

Sie werden zusammengekehrt, oder?

Ja, sie werden zusammengekehrt.

Kehrt der Bräutigam sie allein zusammen?	Nein, er kehrt sie nicht allein zusammen.
Mit wem kehrt er die Scherben zusammen?	Er kehrt sie mit der Braut zusammen.

Gut. Hören Sie zu!

> Paul: Und was sagen die Nachbarn zu dem Lärm? Bei so einem Polterabend geht es doch sicher sehr laut zu, oder?
>
> Jutta: Die Nachbarn sind kein Problem. Die werden natürlich zu der Feier eingeladen.
>
> Paul: Polterabend ... So etwas Verrücktes gibt es bei uns in Kanada nicht.

Antworten Sie!

Geht es bei einem Polterabend laut zu?	Ja, es geht bei einem Polterabend laut zu.
Ist das für die Nachbarn ein Problem?	Nein, das ist für die Nachbarn kein Problem.
Werden sie zu dem Fest eingeladen?	Ja, sie werden zu dem Fest eingeladen.

Schön. Hören Sie wieder zu!

> Paul: Polterabend ... So etwas Verrücktes gibt es bei uns in Kanada nicht.
>
> Jutta: Das ist ja noch nicht alles. Bei der Hochzeitsfeier am nächsten Tag gibt es noch einen anderen Brauch. Ein paar Gäste bringen die Braut in eine Kneipe, ohne daß der Bräutigam es sieht. Dort feiern und trinken sie weiter.
>
> Paul: Und was macht der Bräutigam?
>
> Jutta: Er muß seine Frau dann suchen.

Antworten Sie!

Gibt es noch einen anderen Hochzeitsbrauch?	Ja, es gibt noch einen anderen Hochzeitsbrauch.
Wohin bringen die Gäste die Braut?	Sie bringen sie in eine Kneipe.
Weiß der Bräutigam, wohin man sie bringt?	Nein, er weiß nicht, wohin man sie bringt.
Und er muß sie dann suchen, nicht?	Ja, er muß sie dann suchen.

Sehr gut. Hören Sie zu!

> Paul: Und was macht der Bräutigam?
>
> Jutta: Er muß seine Frau dann suchen. Er geht von Kneipe zu Kneipe, bis er die Braut findet. Und das kann lange dauern.
>
> Paul: Das kann ich mir gut vorstellen ... Na, dann wünsche ich dir am Wochenende viel Spaß. Und ich trinke schon jetzt auf das Brautpaar. Prost!

Antworten Sie!

Geht der Bräutigam von Kneipe zu Kneipe?	Ja, er geht von Kneipe zu Kneipe.

Er geht von Kneipe zu Kneipe, bis er die Braut findet, nicht?

Ja, er geht von Kneipe zu Kneipe, bis er sie findet.

Kann das lange dauern?

Ja, das kann lange dauern.

Schön. Jetzt hören Sie bitte noch einmal zu und wiederholen Sie:

– *Sag' mal, Jutta,*
  hast du am Samstag abend Lust, ins Kino zu gehen?
– *Tut mir leid, am Samstag kann ich nicht.*
  Zwei Freunde von mir heiraten,
  und sie haben mich zu ihrer Hochzeit eingeladen.
– *Und wie wär's mit morgen abend?*
– *Morgen geht's auch nicht.*
  Da gehe ich zum Polterabend.
– *Polterabend? Was ist denn das?*
– *Das ist ein alter deutscher Brauch.*
  Am Abend vor der Hochzeit wird im Haus der Braut gefeiert.
  Die Gäste bringen altes Geschirr mit
  und werfen es mit viel Lärm vor die Haustür.
  Man sagt, das bringt dem Brautpaar Glück.
– *Und wer kümmert sich dann um die vielen Scherben?*
– *Die Scherben werden anschließend von Braut und*
  Bräutigam gemeinsam zusammengekehrt.
  Das ist wichtig für eine gute und harmonische Ehe.
– *Und was sagen die Nachbarn zu dem Lärm?*
  Bei so einem Polterabend geht es doch sicher sehr laut zu, oder?
– *Die Nachbarn sind kein Problem.*
  Die werden natürlich zu der Feier eingeladen.
– *Polterabend …*
  So etwas Verrücktes gibt es bei uns in Kanada nicht.
– *Das ist ja noch nicht alles.*
  Bei der Hochzeitsfeier am nächsten Tag gibt es noch einen
  anderen Brauch.
  Ein paar Gäste bringen die Braut in eine Kneipe,
  ohne daß der Bräutigam es sieht.
  Dort feiern und trinken sie weiter.
– *Und was macht der Bräutigam?*
– *Er muß seine Frau dann suchen.*
  Er geht von Kneipe zu Kneipe,
  bis er die Braut findet.
  Und das kann lange dauern.
– *Das kann ich mir gut vorstellen.*
  Na, dann wünsche ich dir am Wochenende viel Spaß.
  Und ich trinke schon jetzt auf das Brautpaar. Prost!

Ausgezeichnet! Ja, und wir sagen auch Prost und wünschen dem Brautpaar viel Glück. Das ist das Ende von Kapitel 10. Vielen Dank … und … auf Wiederhören!

Kapitel 11

Es ist Samstag morgen, und Jörg Schulte geht zum Flohmarkt. Dort kann man fast alles kaufen: Pullover aus Südamerika, Uniformen aus Rußland, Masken aus Afrika, und dazwischen gibt es Stände mit alten Büchern, antiken Möbeln, CDs, gebrauchten Autoradios, usw. Und über die Preise kann man verhandeln. Jörg sieht einen Stand mit alten Uhren.

Hören Sie zu!

> Jörg: *Diese Uhr hier, was wollen Sie dafür haben?*
> Mann: *150 DM. Das ist eine Rarität, aus den 40er Jahren.*

Antworten Sie!

Geht Jörg heute ins Büro?	Nein, er geht heute nicht ins Büro.
Wohin geht er?	Er geht zum Flohmarkt.
Gibt es dort viel zu kaufen?	Ja, es gibt dort viel zu kaufen.
Findet man nur deutsche Produkte?	Nein, man findet nicht nur deutsche Produkte.
Man findet auch Produkte aus dem Ausland, oder?	Ja, man findet auch Produkte aus dem Ausland.
Kann man über die Preise verhandeln?	Ja, man kann über die Preise verhandeln.
Sieht Jörg etwas, das ihn interessiert?	Ja, er sieht etwas, das ihn interessiert.
Sieht er ein Fahrrad oder eine Uhr?	Er sieht eine Uhr.

Gut. Hören Sie zu!

> Mann: *Das ist eine Rarität, aus den 40er Jahren.*
> Jörg: *Hm … Aber die Uhr geht nicht. Wenn sie gehen würde, würde ich vielleicht soviel bezahlen. Wie wär's mit 80 DM?*
> Mann: *80? Nein, da ist nichts zu machen!*

Antworten Sie!

Handelt es sich um eine neue Uhr oder eine Uhr aus den 40er Jahren?	Es handelt sich um eine Uhr aus den 40er Jahren.
Geht die Uhr?	Nein, sie geht nicht.
Will der Mann 150 DM dafür?	Ja, er will 150 DM dafür.
Er will 150 DM für eine Uhr, die nicht geht?	Ja, er will 150 DM für eine Uhr, die nicht geht.
Bezahlt Jörg 150 DM für die Uhr?	Nein, er bezahlt keine 150 DM dafür.
Wenn sie gehen würde, würde er soviel bezahlen, oder?	Ja, wenn sie gehen würde, würde er soviel bezahlen.
Wie bitte? Wenn sie gehen würde, würde er soviel bezahlen?	Ja, wenn sie gehen würde, würde er soviel bezahlen.

Gut.

Wiederholen Sie!
Die Uhr geht nicht.
Er bezahlt nicht soviel.
Wenn sie gehen würde,
würde er soviel bezahlen.

Er kauft sie nicht.
Wenn sie gehen würde, Wenn sie gehen würde,
würde er …   würde er sie kaufen.

Die Uhr ist spottbillig. Wenn sie gehen würde,
Wenn sie gehen würde, wäre … wäre sie nicht spottbillig.

Jörg hat kein Interesse. Wenn sie gehen würde,
Wenn sie gehen würde, … hätte er Interesse.

Sie kostet nicht viel Geld. Wenn sie gehen würde,
Wenn sie gehen würde, … würde sie viel Geld kosten.

Der Mann verhandelt. Wenn sie gehen würde,
Wenn sie gehen würde, … würde er nicht verhandeln.

Sehr gut. Hören Sie wieder zu!

> Jörg: *Na gut. Ich gebe Ihnen 100 DM dafür.*
> Mann: *100 DM für so eine Uhr? Sie machen wohl Witze! Sowas findet man heute nur noch selten. Aber gut. Für 130 können Sie sie haben.*
> Jörg: *Das ist sie nicht wert!*

Antworten Sie!
Verhandelt Jörg mit dem Mann? Ja, er verhandelt mit ihm.
Will Jörg 130 DM bezahlen? Nein, er will keine 130 DM bezahlen.
Ist ihm das zu viel oder zu wenig? Das ist ihm zu viel.
130 ist die Uhr nicht wert, stimmt's? Ja, 130 ist die Uhr nicht wert.

Schön. Hören Sie zu!

> Jörg: *Wenn ich die Uhr reparieren lasse, kostet mich das eine Menge Geld.*
> Mann: *110 DM, und keinen Pfennig weniger! Das ist mein letztes Wort.*
> Jörg: *Also schön, 110. Abgemacht.*

Antworten Sie!
Will der Mann nur noch 110 DM
für die Uhr? Ja, er will nur noch 110 DM dafür.
Ist Jörg bereit, diesen Preis zu bezahlen? Ja, er ist bereit diesen Preis zu bezahlen.
Aber die Uhr muß noch repariert
werden, stimmt's? Ja, sie muß noch repariert werden.
Gut.

Ein guter Fang, denkt Jörg. Wenn er die Uhr in einem Laden kaufen würde, würde er mindestens doppelt soviel dafür bezahlen. Jörg steckt die Uhr in seine Tasche. An einem anderen Tisch sieht er eine junge Frau, die Brieftaschen aus Leder verkauft.

Hören Sie wieder zu!

> Frau: *Sehen Sie hier, die sind handgemacht und kommen aus Marokko. 20 DM das Stück!*
>
> Jörg: *20 DM? Eigentlich brauche ich keine, aber ...*
>
> Frau: *15 DM! So spottbillig bekommen Sie nirgendwo eine Brieftasche aus Leder!*

Antworten Sie!

Was verkauft die junge Frau?	Sie verkauft Brieftaschen.
Woraus sind die Brieftaschen?	Sie sind aus Leder.
Kosten sie 15 DM pro Stück?	Ja, sie kosten 15 DM pro Stück.
Ist das teuer oder billig?	Das ist billig.
Das ist spottbillig, oder?	Ja, das ist spottbillig.

Gut.

Stimmt, sagt sich Jörg, und er gibt der jungen Frau 15 DM. An einem Imbißstand bestellt er eine Portion Pommes frites. Als er bezahlen will, sucht er in seinen Taschen nach Geld. Aber alles, was er findet, sind eine leere Brieftasche und eine alte Uhr.

Antworten Sie!

Bestellt Jörg an einem Imbißstand etwas zu essen?	Ja, er bestellt dort etwas zu essen.
Was bestellt er?	Er bestellt Pommes frites.
Hat er noch Geld in der Tasche?	Nein, er hat kein Geld mehr in der Tasche.
Was findet er? Eine leere Brieftasche und eine alte Uhr?	Ja, er findet eine leere Brieftasche und eine alte Uhr.

Sehr gut. Jetzt hören Sie noch einmal zu und wiederholen Sie!

– *Diese Uhr hier,*
  was wollen Sie dafür haben?

– *150 DM. Das ist eine Rarität,*
  aus den 40er Jahren.

– *Hm ... Aber die Uhr geht nicht.*
  Wenn sie gehen würde,
  würde ich vielleicht soviel bezahlen.
  Wie wär's mit 80 DM?

– *80? Nein, da ist nichts zu machen!*

– *Na gut. Ich gebe Ihnen 100 DM dafür.*

– *100 DM für so eine Uhr?*
  Sie machen wohl Witze!
  Sowas findet man heute nur noch selten.
  Aber gut. Für 130 können Sie sie haben.

– *Das ist sie nicht wert!*
  Wenn ich die Uhr reparieren lasse,
  kostet mich das eine Menge Geld.

- *110 DM, und keinen Pfennig weniger!*
  Das ist mein letztes Wort.
- *Also schön, 110. Abgemacht.*
  * * * *
- *Sehen Sie hier,*
  die sind handgemacht und kommen aus Marokko.
  20 DM das Stück!
- *20 DM? Eigentlich brauche ich keine, aber ...*
- *15 DM!*
  So spottbillig bekommen Sie nirgendwo eine Brieftasche aus Leder!

Ausgezeichnet! Und das ist das Ende dieses Kapitels, das Ende von Kapitel 11. Vielen Dank … und … auf Wiederhören!

Kapitel 12

Klaus Huber trifft Gabi, die Tochter seines Nachbarn, als er zur Bushaltestelle geht. Gabi ist 18 Jahre alt und besucht das Gymnasium.

Hören Sie zu!

Herr Huber: *Tag Gabi, wie geht's? Was macht die Schule?*

Gabi: *Na ja, es geht so.*

Antworten Sie!

Ist Herr Huber unterwegs zum Bahnhof?	Nein, er ist nicht unterwegs zum Bahnhof.
Wohin ist er unterwegs?	Er ist unterwegs zur Bushaltestelle.
Trifft er seine Sekretärin oder Gabi?	Er trifft Gabi.
Ist Gabi seine Tochter?	Nein, sie ist nicht seine Tochter.
Sie ist die Tochter seines Nachbarn, nicht?	Ja, sie ist die Tochter seines Nachbarn.
Geht Gabi schon auf die Universität?	Nein, sie geht noch nicht auf die Universität.
Sie besucht noch das Gymnasium, stimmt's?	Ja, sie besucht noch das Gymnasium.

Gut. Hören Sie zu!

Gabi: *Wenn ich heute keine Biologieprüfung hätte, wäre ich nicht so nervös. In Biologie bin ich nicht besonders gut. Aber in zwei Monaten ist alles vorbei!*

Herr Huber: *Ach richtig, du machst ja gerade Abitur ...*

Antworten Sie!

Hat Gabi heute eine Englischprüfung?	Nein, sie hat heute keine Englischprüfung.
Was für eine Prüfung hat sie?	Sie hat eine Biologieprüfung.
Ist sie nervös?	Ja, sie ist nervös.
Wäre sie nervös, wenn sie keine Prüfung hätte?	Nein, sie wäre nicht nervös, wenn sie keine Prüfung hätte.

Aha, wenn sie keine Prüfung hätte, wäre sie nicht nervös, oder?

Gut.

Wiederholen Sie!

Sie hat eine Prüfung. Sie ist nervös.
Wenn sie keine Prüfung hätte,
wäre sie nicht nervös.

Sie ist nicht glücklich.
Wenn sie keine Prüfung hätte,
wäre sie ...

Sie fährt nicht in Urlaub.
Wenn sie keine Prüfung hätte,
würde sie ...

Ich rufe sie nicht an.
Wenn sie keine Prüfung hätte, ...

Wir gehen nicht ins Kino.
Wenn sie keine Prüfung hätte, ...

Sie hat Streß.
Wenn sie keine Prüfung hätte, ...

Sehr gut. Hören Sie wieder zu!

Ja, wenn sie keine Prüfung hätte, wäre sie nicht nervös.

Wenn sie keine Prüfung hätte,
wäre sie glücklich.

Wenn sie keine Prüfung hätte,
würde sie in Urlaub fahren.

Wenn sie keine Prüfung hätte, würde ich sie anrufen.

Wenn sie keine Prüfung hätte,
würden wir ins Kino gehen.

Wenn sie keine Prüfung hätte,
hätte sie keinen Streß.

Gabi: *Und morgen haben wir eine Prüfung in Französisch. Aber da mache ich mir keine Sorgen. Französisch ist mein Lieblingsfach.*

Herr Huber: *Das ist ja prima. Und was willst du nach dem Abitur machen?*

Gabi: *Das weiß ich noch nicht genau. Ich interessiere mich sehr für Fremdsprachen, besonders für Französisch. Vielleicht gehe ich zur Universität.*

Herr Huber: *Aha.*

Antworten Sie!

Weiß Gabi schon, was sie nach
dem Abitur machen wird?

Interessiert sie sich für Fremdsprachen?

Aber morgen hat sie noch eine
Prüfung, oder?

Was für eine Prüfung hat sie morgen?

Und wie ist sie in Französisch?
Gut oder schlecht?

Französisch ist ihr Lieblingsfach,
stimmt's?

Macht sie sich wegen der
Französischprüfung Sorgen?

Nein, sie weiß noch nicht, was sie
nach dem Abitur machen wird.

Ja, sie interessiert sich für Fremdsprachen.

Ja, morgen hat sie noch eine Prüfung.

Morgen hat sie eine Französischprüfung.

In Französisch ist sie gut.

Ja, Französisch ist ihr Lieblingsfach.

Nein, sie macht sich wegen der
Französischprüfung keine Sorgen.

Schön. Hören Sie zu!

Herr Huber: Aha. Und wie lange dauert ein Sprachstudium?

Gabi: Fünf Jahre. Ich würde auch gern ein Jahr im Ausland studieren.

Herr Huber: Das wäre sicher sehr interessant ... Sprachen sind ja in den letzten Jahren immer wichtiger geworden. Sogar die Kinder in der Grundschule lernen Englisch.

Antworten Sie!

Will Gabi nur in Deutschland studieren?	Nein, sie will nicht nur in Deutschland studieren.
Würde sie auch gern im Ausland studieren?	Ja, sie würde auch gern im Ausland studieren.
Dauert ein Sprachstudium 5 Jahre oder 10 Jahre?	Ein Sprachstudium dauert 5 Jahre.
Sind Sprachen in den letzten Jahren wichtiger geworden?	Ja, sie sind in den letzten Jahren wichtiger geworden.
Lernen die Kinder in Deutschland schon Fremdsprachen?	Ja, die Kinder in Deutschland lernen schon Fremdsprachen.
Lernen sie Fremdsprachen zu Hause?	Nein, sie lernen sie nicht zu Hause.
Wo lernen sie Fremdsprachen?	Sie lernen sie in der Schule.

Gut. Hören Sie zu!

Gabi: Sprechen Sie eine Fremdsprache, Herr Huber?

Herr Huber: Ich habe damals in der Schule 9 Jahre lang Englisch gelernt, aber ich habe in der Zwischenzeit viel vergessen. Wenn ich mehr Zeit hätte, würde ich nach Feierabend in einer Sprachschule mein Englisch verbessern. Aber so ... Ah, da kommt mein Bus. Dann wünsche ich dir viel Glück bei deinen Prüfungen, Gabi.

Gabi: Danke Herr Huber, auf Wiedersehen!

Antworten Sie!

Spricht Herr Huber eine Fremdsprache?	Ja, er spricht eine Fremdsprache.
Welche Sprache spricht er?	Er spricht Englisch.
Hat er früher in der Schule Englisch gelernt?	Ja, er hat früher in der Schule Englisch gelernt.
Weiß er noch alles, oder hat er viel vergessen?	Er hat viel vergessen.
Man muß eine Sprache sprechen, sonst vergißt man sie, stimmt's?	Ja, man muß eine Sprache sprechen, sonst vergißt man sie.

Sehr gut. So, dann hören Sie bitte noch einmal zu und wiederholen Sie!

– *Tag Gabi, wie geht's?*
  Was macht die Schule?

– Na ja, es geht so.
  Wenn ich heute keine Biologieprüfung hätte,
  wäre ich nicht so nervös.
  In Biologie bin ich nicht besonders gut.
  Aber in zwei Monaten ist alles vorbei!
– Ach richtig, du machst ja gerade Abitur.
– Und morgen haben wir eine Prüfung in Französisch.
  Aber da mache ich mir keine Sorgen.
  Französisch ist mein Lieblingsfach.
– Das ist ja prima.
  Und was willst du nach dem Abitur machen?
– Das weiß ich noch nicht genau.
  Ich interessiere mich sehr für Fremdsprachen,
  besonders für Französisch.
  Vielleicht gehe ich zur Universität.
– Aha. Und wie lange dauert ein Sprachstudium?
– Fünf Jahre.
  Ich würde auch gern ein Jahr im Ausland studieren.
– Das wäre sicher sehr interessant.
  Sprachen sind ja in den letzten Jahren immer wichtiger geworden.
  Sogar die Kinder in der Grundschule lernen Englisch.
– Sprechen Sie eine Fremdsprache, Herr Huber?
– Ich habe damals in der Schule 9 Jahre lang Englisch gelernt,
  aber ich habe in der Zwischenzeit viel vergessen.
  Wenn ich mehr Zeit hätte,
  würde ich nach Feierabend in einer Sprachschule mein
    Englisch verbessern.
  Aber so … Ah, da kommt mein Bus.
  Dann wünsche ich dir viel Glück bei deinen Prüfungen, Gabi.
– Danke Herr Huber, auf Wiedersehen!

Ausgezeichnet! Und wir wünschen dir auch viel Glück bei deinen Prüfungen, Gabi!
Tja, und das ist das Ende von Kapitel 12. Wir hoffen, daß Ihnen dieses Programm
Spaß gemacht hat. Wir danken Ihnen fürs Zuhören und fürs Mitmachen. Vielen Dank
… und … auf Wiederhören!